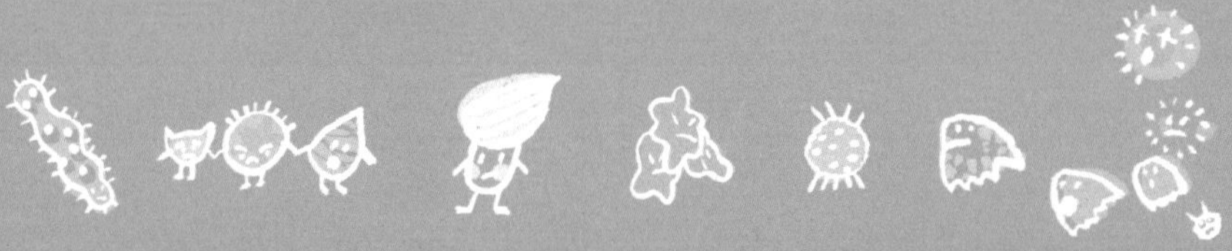

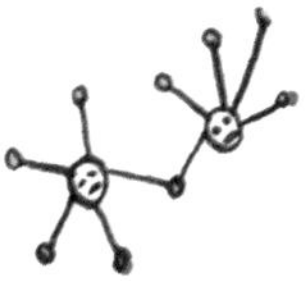

從現在開始，帶孩子遠離過敏

異位性皮膚炎、過敏氣喘與過敏鼻炎，

從預防、控制到治療，給父母的安心提案

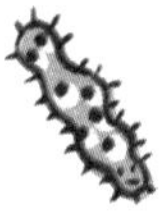

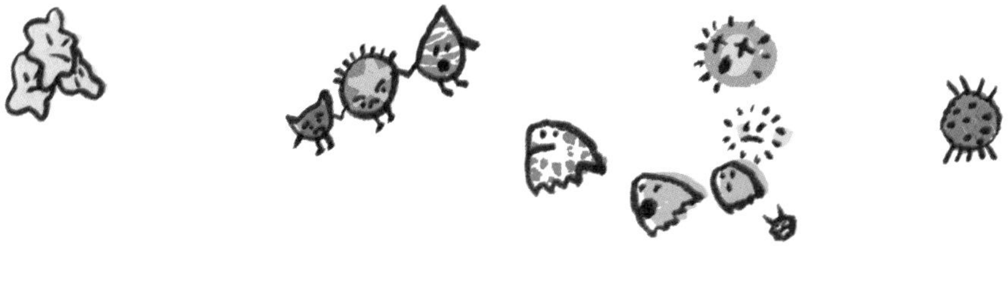

目錄

推薦序

作者序

CHAPTER 1

過敏體質的形成

CHAPTER 2

發作了，異位性皮膚炎

CHAPTER 3

食物過敏

CHAPTER 4

過敏氣喘、過敏性鼻炎、過敏性結膜炎

CHAPTER 5

其他過敏與類過敏話題

推薦序

用科學實證，讓爸媽安心的過敏輕百科

中研院院士／陳建仁

在 COVID-19 疫情肆虐下，台灣防疫成績全世界有目共睹，突顯了疫病「預防」的重要性。二〇〇三年我國在 SARS 流行的嚴峻考驗過後，積極推動衛生署和疾病管制局組織再造，建置全國感染症醫療體系，修訂《傳染病防治法》，改革健保體制，以提升了台灣的衛生防疫能力及醫療照護品質。

公共衛生是促進健康、預防疾病、延長壽命的科學，除了政府應該健全公衛體系來達成「預防醫學」的目標，每個國民也要透過「選擇」有益身心的健康行為，來延長壽命及提高生活品質。這些年我積極與民間組織或意見領袖合作，推廣普及公衛科技新知，傳達預防重於治療的觀念，若是到了需要治療的發病階段，也要毫不畏懼的接受治療，讓大家享有更健康的生活。

台灣是個海島國家，潮溼悶熱，加上逐年惡化的空氣品質，讓孩子們的過敏問題與日俱增。感謝黃瑽寧醫師的邀請，讓我能超前欣賞這本《從現在開始，帶孩子遠離過敏》暢銷全新增訂改版的好書，有著先睹為快的喜樂。

本書除了提供許多預防過敏的好策略，也指出如何與過敏好好共存的妙方。更難得的是，新書中也補充了許多最新科學研究，特別在藥物治療的新知，不但以實證科學緩解父母的擔憂，更點出與以往不同的過敏治療方式。以異位性皮膚炎為例，常令父母們害怕的類固醇藥膏，過去的治療方式是塗抹兩天可能就要停止使用，但最新的研究證實，如果能夠好好配合醫師使用安全藥品，異位性皮膚炎的症狀，可以隨著發炎風暴的消逝而趨於穩定，書中提出了不同的類固醇藥膏療程，可以嘉惠病童和父母們。

小小孩階段不斷經歷感冒，表示孩子正在「蒐集病毒碼」，這是免疫力邁向成熟的必經過程。然而，如果剛好孩子同時有了呼吸道過敏，那麼病毒感染最常見的狀況，就是誘發過敏氣喘或過敏性鼻炎，病程也許拖了很久才會痊癒，或者症狀明明好轉，卻又突然嚴重起來。在養育過敏兒的過程中，就有可能不斷經歷孩子「感冒」綿延無絕期的辛苦。本書提出了過敏是可以預防的觀念，如果你是準父母，閱讀本書可以從懷孕期就開始預防孩子過敏，並且學會打造減敏環境的方法。

如果家中正好有過敏兒，黃醫師也在本書分享了如何與過敏好好相處的方法，孩子即使有過敏、氣喘，也可以應用「預防」的觀念和方法避免惡化，並透過妥善、安全的治療來確保良好的生活品質。

本書有許多專業的醫學知識，黃醫師利用淺顯易懂的文字、引人入勝的比喻帶領讀者認識過敏，使大家有知識、有觀念，更有方法。誠摯邀請你與我一起打開這本「用科學實證讓爸媽安心」的過敏輕百科。

推薦序

給家長看的過敏書，就這一本！

柚子小兒科診所院長／陳木榮

好友黃瑽寧醫師出了新書《從現在開始，帶孩子遠離過敏》，介紹探討現今環境中愈來愈多的兒童過敏疾病，這本書在協助醫師說明過敏疾病或是幫忙爸爸媽媽了解過敏這兩方面，都大有幫助。

在協助醫師說明過敏疾病方面，兒科醫師平常使用的教科書，只適合醫師看完門診回家後，自己閱讀來精進能力。可是在門診面對爸爸媽媽時，如果需要解釋一些複雜的過敏情況或是面對一知半解的家屬，拿出教科書的用處不大，反而拿出黃瑽寧醫師的書最有用。

這幾年來黃醫師在電視節目及報章雜誌書籍中暢談正確健康知識，長久累積下來的形象及公信力，幫助醫師很容易就可以跟原本半信半疑的爸爸媽媽取得疾病共識互相溝通。

在幫忙爸爸媽媽了解過敏疾病方面，自從進入網路時代，各式各樣的醫學內容在網路上都可以查詢，這些網路知識真假難分，道聽塗說的成分也不少，在大眾之間就出現了兩極化的想法分歧。

以我自己的過敏門診為例，有些爸爸媽媽會說：「請醫師幫我看看孩子是過敏還是感冒，如果是過敏就治療，如果是感冒就會自己好，我不希望我的孩子吃感冒藥」。可是也有些爸爸媽媽會說：「請幫我看看孩子是過敏還是感冒，如果是感冒就要治療，如果是過敏就不要開藥，忍個幾天過去就好了」。

每位家屬對於過敏疾病都有各自的看法見解，有時甚至根深柢固難以改變。身為醫師，除了盡力給家屬正確的過敏觀念之外，真希望有一本全方位的兒童過敏書籍深入一般家庭幫忙大家。黃醫師用最生動淺顯的方式介紹孩子過敏疾病的每個小細節，即使是不具任何醫學背景的爸爸媽媽，都能在每個過敏疾病得到正確的處置及應對方式，大家可以依標題、依需要來重點閱讀，或是整本一次看完，且完整吸收，十分值得一看再看。

我是個兒童過敏氣喘專科醫師，我推薦黃瑽寧醫師的《從現在開始，帶孩子遠離過敏》。

推薦序

爸媽都能看懂的醫學專業書醫學專業書

主播、主持人／夏嘉璐

不知是先天體質抑或後天環境，身邊認識的孩子幾乎十個就有九個過敏。

症狀輕微的，可能就是換季時節噴嚏、鼻水不停，嚴重一些的孩子，皮膚一大塊一大塊的紅疹，癢得難受，甚至長期影響睡眠不足，連帶著孩子的情緒、學習……整個人都不對勁，看了讓人不捨，讓家長憂心又困擾！

身為黃醫師的好友兼 Podcast 搭檔，我一直很佩服瓈寧能以淺顯易懂的語言或文字來解釋艱澀難懂的醫學專業，讓焦頭爛額的我們能很快掌握教養及照顧孩子的訣竅，穩定不安的情緒。喜聞《從現在開始，帶孩子遠離過敏》這本過去就讓家長們獲益良多的好書要改版發行，對於辛苦的過敏兒和父母來說，一定會帶來很大的幫助。

推薦序

過敏兒的一盞明燈

親子部落客/**茜茜育兒生活好好玩**

從小我是氣喘過敏兒，在六歲時半夜喘到無法呼吸，母親把我送急診才撿回一條小命，成了永生難忘的記憶。

多年前，我成為了媽媽，享有資訊與科技帶來的便利，也怕其中的錯誤與遺漏。在經營育兒分享部落格與臉書時，常收到媽咪們各種育兒問題，身為三寶媽的我很樂意分享經驗，也會推薦大家看黃瑽寧醫師的書。

在第一版《從現在開始，帶孩子遠離過敏》我就入手了，這次改版透過淺白又詼諧的口吻，將各種更新的科學實證內容融入其中，成了一本令人值得信賴的好書。黃醫師盡心盡力解決爸媽的各種疑難雜症，我曾敬佩的問：「你怎麼有時間睡覺啊？」，他總是笑笑的回應：「起心動念都是出於愛，我想把上帝給我的愛分享出去。」台上親切專業、台下幽默暖心的他，是爸媽們的一盞明燈。對於過敏相關問題這本書將成為你在育兒路上最好的陪伴！

推薦序

相信專業，一起帶孩子遠離過敏

六寶媽／林叨囝仔

當媽媽有十年之久，在媽媽眼中只有黃璑寧醫師，他是媽媽界的男神啊！

現在有六個孩子的我，算是老手媽媽，但回想當初生完老大，準備副食品蒐集資料時，坊間五花八門的建議，令我感到苦惱。還好當時查到一篇黃醫師的專欄關於「食物耐受性」的論點，我們相信醫師的專業並且照著執行，目前為止，沒有一個孩子對食物產生過敏的現象！

現在資訊容易取得，但是否正確？孩子「過敏」是很多家庭的痛點，本書可以解決許多父母的困擾，讓孩子少走一些冤枉路。當媽媽後我堅持「聽就聽專業的！」這本書絕對是帶孩子遠離過敏的方針，推薦每個家庭務必收藏的一本好書！

經典之作，必須含淚推薦

食譜作家／**林姓主婦**

生哥哥後，我很想克服初為人母的不安，在好友推薦下，買了黃醫師的系列書拜讀。

熬夜看著黃醫師輕鬆卻條理分明的文章，我竟深深被安撫，不再被婆媽間流傳的說詞擾亂，不再輕易陷入無謂的擔憂，因為關於小孩的疑難雜症，我終於明白是怎麼回事了。

感謝黃醫師的細膩與溫柔，寫下對母親充滿同理的衛教文，梳理觀念的同時，還化解了我們的焦慮，無形之中幫助我們找到身為母親的信念。

這本經典之作，伴我度過最無助的時光，必須含淚推薦。

推薦序

我為什麼這麼崇拜黃醫生？

媳婦燈塔／宅女小紅

過敏會怎樣？誰沒有過敏，不是跟它和平共存就好了嗎？以前的我是這樣想的，直到生到重度過敏兒後，才知道以前的我大錯特錯，當小孩一咳咳整晚、分分鐘在吸鼻子、人中擦到破皮，因為太痛一直鬧，我才懂過敏是敵人，放過敵人就是為難自己，放任過敏會讓育兒的日子難上加難啊！

於是我一個晚上翻完了黃醫生的書《從現在開始，帶孩子遠離過敏》，裡面從簡單的觀念到過敏症狀長怎樣，你應該如何應對可以吃什麼、抹什麼，到生活好習慣養成，照著做真的大為改善，這本書到現在我都會推薦給媽媽朋友，因為真的很受用。

孔劉和黃璇寧同時開見面會，我會去參加黃醫生的，當媽就是這麼毀人三觀（？），但讀完這本書，看到孩子的改變，相信你會跟我一樣崇拜璇寧的！

作者序 過敏體質不是詛咒，而是「化了妝的祝福」

《從現在開始，帶孩子遠離過敏》已經出版八年了，這八年來醫學的進步一日千里，我深知舊版的內容已經過時，趁著新冠疫情兩年期間的大小連假，家人無法出國旅遊，趕緊將本書徹頭徹尾的大翻修。

舊版序中最後一段的大男孩，現在已經上國中了，發作過幾次蕁麻疹，但沒有慢性過敏問題。小女兒今年也要升六年級，僅有輕微的異位性皮膚炎，她只要不吃零食或加工食品，基本上就不會覺得癢。不像我自己國中的時候，隨身必須帶著氣喘的急救藥物，參加運動會游泳比賽時，好朋友們拿著藥瓶在岸上等我，深怕我比賽中途氣喘發作。當年如果醫學像今天那麼進步，有好的保養藥物，正確的居家環境與飲食控制，我應該可以擁有更活潑的童年。

這八年來我在門診也累積了更多的衛教經驗，發現家長對於過敏的認識愈來愈充足，配合度愈來愈高，孩子的過敏疾病也大多能得到完善的控制，包括過敏氣喘、過敏性鼻炎與異位性皮膚炎等。即便面對最難纏的嚴重異位性皮膚炎患者，如今也有更好的藥物，與改變照顧方式，提升他們的生活品質，對醫生來說真的非常有成就感。也因此，新版的內容特別在異位性皮膚炎的照顧上，刪改了舊版許多做法，特別提醒讀者要跟著最新的版本來執行。

很多人誤以為過敏疾病是局部的問題，比如說鼻子過敏就要顧鼻子、氣管過敏要顧氣管，其實不是這樣的。各種慢性過敏疾病雖然症狀各有不同，但背後代表的問題卻都是免疫系統的紊亂。當一個人因為不健康的生活型態，比如說睡不飽、壓力大、吃零食或加工食品，導致免疫系統不穩定時，過敏鼻炎的人就會鼻塞打噴嚏，氣喘的人會夜間咳嗽，異位性皮膚炎患者則是搔癢紅腫。反之，當免疫系統趨於穩定之後，就算寒流來襲、氣候潮溼，這些症狀並不見得會出現。

因此，我常常以自身的經驗告訴家長：過敏體質不是詛咒，而是「化了妝的祝福」，督促一個人時常警醒，要過健康的生活！流行病學的研究發現，過敏體質的人，在某些癌症的罹病率，竟然比一般人更低，包括肺癌、大腸癌等。雖然其原因仍機轉不明朗，但以生活形態而言，過敏的病人因為擁有這種「健康警報器」體質，被迫要過相對健康的生活，反而成為其中一個癌症的保護因子。更不用說許多過敏兒為了改善症狀，養成規律運動的習慣，最後不僅過敏疾病好了，還成為世界級的運動員。

最後衷心期盼本書的內容，不只幫助孩子遠離過敏，也隨著環境與生活形態的調整，讓同住的家人一起變健康！

CHAPTER 1

過敏體質的形成

01 過敏是什麼？
釐清「過敏」二字才不會雞同鴨講

親愛的爸爸媽媽，您們現在會翻開這本書，很有可能孩子已經有某種過敏的疾病產生，比如嬰幼兒異位性皮膚炎、鼻塞黑眼圈的過敏性鼻炎、時常咳嗽的過敏性氣管，或三不五時就發癢的蕁麻疹……等。當然，您也可能是第一胎老大過敏嚴重，不希望老二重蹈覆轍，特地找這本書來超前部署的。

我們家是屬於第三種情況。十多年前，當我老婆懷孕時，她本身完全沒有過敏體質，而我，卻是從小就過敏氣喘、過敏鼻炎犯不停的人。也因此，她非常擔心生出來的孩子，會跟我一樣辛苦——即便我再三保證，時代不同，醫學日新月異，孩子的過敏不僅可以預防，而且就算發生了，也可以控制得很穩定，不會再像當年的我一樣悲慘。

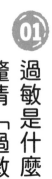

多年之後，孩子們都長大了！事實證明，即便帶著我的過敏基因，在適當的預防與輕度的控制之下，他們的生活品質，都比我的童年經驗幸福太多太多了。

現在我也要用同樣的話，來安慰每一位，因為孩子過敏體質而擔憂的父母們。雖然各種過敏疾病嚴重度不一，但在二十一世紀的今天，藉由和醫生的討論與配合，過敏不僅可以被良好控制，而且一直吃藥也不是唯一的選擇。就像我自己，雖然仍帶有過敏氣喘和鼻炎的體質，但多年來我用藥的頻率極低，只要用對方法，生活上幾乎不受影響，夏天可以喝冰啤酒，冬天可以去北海道玩雪。

寫這本書，就是希望能將醫學目前對過敏照護的進展，用淺顯易懂的方式，分享給家長們。

過敏體質能根治嗎？

在診間，我時常被問到：**「黃醫師，過敏能根治嗎？」**老實說，過敏體質一旦被誘發，就沒有回頭路，基本上的確是「無法根治」的，但這樣的說法，卻是令人感到絕望。雖說過敏體質無法根治，然而若能建立良好的生活習慣，過敏是可以在不使用藥物下，或者偶爾用藥的方式，被穩定的控制住。

我在演講時常常用這個比喻：過敏這玩意兒，就像是一個孩子學會「說髒話」。嬰兒出生時不懂髒話，但總有一天，他會從同儕學到一些難聽的語助詞，一旦知道這些字詞是「髒話」之後，他們就不會忘記了。但即便孩子知道這些詞，也不代表從此就髒話連篇，只要透過良好的教養，交友圈的改變，漸漸的我們也不再整天飆髒話，甚至可以完全「沒有症狀」。

但髒話的記憶有被「根治」嗎？肯定還存在於大腦的深處。或許在某些環境中，我們不知不覺語助詞又會冒出來，自己也覺得驚訝，「怎麼跟一群臭男生在一起哈拉時，髒話就會不由自主的冒出來呢？」

這個比喻的意義在於，事實上髒話的記憶並沒有被「根治」。過敏的基因也是如此，一旦被誘發，身體就已經有過敏的「記憶」，雖然無法根治消除，但好好控制得當，是可以完全沒有症狀，並健康的過一般正常的生活。然而，在人生某些時刻，當身心的狀況改變，比如說懷孕、搬家、睡眠不足、壓力過大等因素，過敏體質的症狀，也可能會再度「冒出來」。

舉例來說，很多的媽媽生完孩子後，因為身體太虛弱，也開始久咳不癒，才發現自己也是隱藏的「過敏氣喘」。但記憶中僅有童年時期稍微有過敏症狀，沒想到成年後又再度發作。

不是每個「過敏」都師出同源

不過，在醫病溝通的過程中，還有一個令醫生困擾的點，是許多人會把所有名稱裡有「過敏」的體質全部混為一談。

「醫生，我有鼻子過敏，那我打疫苗會不會比較容易過敏？」
「醫生，我有麩質過敏，為什麼我抽血驗過敏原卻驗不出來？」
「醫生，我有過敏性紫斑症，孩子是不是也比較會有過敏體質？」

在上述這些問句中，雖然都有「過敏」二字，代表的疾病卻都不同。因此，我先把這些帶有「過敏」二字的疾病做個分類：

1. **彼此有相關的慢性過敏疾病：**異位性皮膚炎、蕁麻疹、過敏性鼻炎、過敏氣管（氣喘）、過敏性結膜炎、花粉熱、汗疱疹和特定食物過敏等。

這些過敏疾病源自類似的體質，也因此常常病人會同時帶有兩三種症狀，但嚴重度不一。一般醫院「抽血檢查過敏原」相關的疾病，也都屬於這一類型喔！

2. **任何人都可能發生的過敏反應，跟其他過敏疾病不見得相關：**比如嬰幼兒被蚊子叮咬腫一大包，或吃到不新鮮的海鮮冒出蕁麻疹。上述這些情形，可以發生在「過去」沒有過敏病史的人身上，與「未來」演變成慢性過敏者也不見得直接相關，可以當作單獨的事件來處理。

3. **對某化學成分過敏的特殊體質：**藥物過敏、顯影劑過敏、疫苗過敏等。這一類藥物引起的過敏，除了少數組合有基因檢測的方法之外，其他都無法事先預知，用了藥才知道以後能不能再碰。就像時常有家長詢問「孩子曾經吃蝦過敏，是不是不能打某種疫苗」？醫生的答案肯定是「兩者並無關連性」，打了才會知道，事先也無法檢測。

4. **錯誤命名，其實不算是過敏：**比如過敏性紫斑症、麩質過敏等。由於「過敏」二字實在太好用，所以很多疾病在當初命名時，只要症狀源自於免疫反應的混亂，就喜歡把過敏二字冠上去。但事實上這些疾病的發生原因，跟其他過敏疾病都不一樣，很容易讓家長誤解。所以，過敏性紫斑可以加個「類」字，稱為「類」過敏性紫斑（Anaphylactoid purpura，或稱 HSP），至於麩質過敏可正名為「麩質不耐症」，就像乳糖不耐一樣。

在本書中，我們主要討論第一種「彼此有相關的慢性過敏疾病」，在最後一章我們再選取第二到第四項的過敏或類過敏疾病，另闢專章以文字描述。

02 過敏三元素：過敏原、化學物質，和物理刺激

很多人聽說家中有人吸菸會造成過敏，於是帶著孩子來醫院，希望抽血驗一下。我跟家長說：沒有香菸過敏這種抽血檢驗啦！大家會不會覺得奇怪？為什麼抽血不能驗香菸過敏、冰水過敏、空氣汙染過敏呢？原來這些東西雖然跟過敏疾病都有關係，但卻不是「過敏原」。

有三種元素和過敏疾病有關，請大家一定要記住，分別為：

1. **過敏原。**
2. **化學物質。**
3. **物理刺激。**

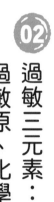

過敏原、化學物質，和物理刺激

所謂的「**過敏原**」，就是當你接觸到這些物質（更準確來說是接觸到蛋白質）的時候，身體的免疫系統會感到生氣、不喜歡、討厭，並選擇以過敏的方式把它趕走，產生各種過敏反應的症狀。舉例來說，接觸到過敏原時，過敏性鼻炎的患者開始打噴嚏（滾出我的鼻腔）、氣喘的人開始咳嗽（滾出我的氣管）、腸胃道過敏者開始腹瀉（統統給我進馬桶）、皮膚過敏者冒出蕁麻疹（滾出我的血管，去皮膚那裡都不關我的事）、異位性皮膚炎發作（我太生氣了啊～大發炎）。

若一個人離開了充滿過敏原的環境，身體依然沒有立刻冷靜下來，還繼續生氣、抗議，因此症狀可以持續好幾天不消失，這就是慢性過敏疾病的「擬人化」過程。剛剛提到，這些過敏原大部分是蛋白質，因此醫生可以利用抽血的方式，或者皮膚測試的方式，了解身體對這些已知的蛋白質是否產生免疫反應，這就是抽血驗過敏原的原理。

第二種與過敏相關的「**化學物質**」，就無法從抽血檢驗中得知，因為它們引起過敏的段數更高，是從「基因」的層級下手破壞。比如說，當一個孩子長期吸入二手菸，香菸裡含的有毒化學物質，會直接進入血液，進而打開「過敏基因」的開關，導致過敏疾病的爆發。除了香菸這種吸入的化學物質，現代人更躲不掉的，是吃進肚子裡的化學物質，包括：塑化劑、防腐劑、香精、加工零食、人工色素、食品添加物、反式脂肪……等。這些化學物質的危害，從懷孕期、甚至懷孕前就影響人類健康，造成的傷害更長久，影響甚至可達三代，比過敏原還可怕，也更難纏！

至於第三種因子「**物理刺激**」，指的是像喝冰水、進出冷氣房、洗熱水澡、震動、抓痕等。很多人一提到過敏，直接聯想到的就是「不能喝冰水、不能吃涼性食物、早起圍圍巾、出門戴口罩、冷天不出門……」，這些因子就是冷、熱、乾、溼等物理刺激。舉例來說，氣喘的孩子，吸到乾冷的空氣可能會發作，皮膚過敏的人用指甲輕輕刮一下皮膚，就會浮出一條蕁麻疹樣凸起，這些都是物理刺激引起過敏發作的例子。

但我也常常告訴家長，這些物理刺激並不是過敏疾病的元凶，只是扮演「煽風點火」的角色，當一名患者降低生活中的過敏原與化學物質，加上正確的使用藥物之後，這些乾、冷、刮等物理刺激，就不會再造成過敏者的症狀發作。換句話說，物理刺激是過敏患者的「警報器」，當過敏症狀發作時，可以檢視「是否最近零食吃太多？是否過敏原在環境中又增加？還是沒睡飽？」等。把根本問題解決之後，理論上喝冰水、吹冷氣，也不會誘發劇烈咳嗽，這才是我們期待穩定的狀態。

吃、喝、吸入化學物質，是讓體質孱弱的元凶！

下表是我們生活中常見的過敏原、化學物質和物理刺激，看了這張表格，不知道你心裡的想法是什麼？

✓常見的過敏原、化學物質、物理刺激和免疫混亂因子

	常見舉例
過敏原	 塵蟎分子、黴菌分子、狗貓蛋白、蟑螂蛋白、海鮮蛋白、牛奶蛋白、花粉分子等。（只要體質和某蛋白質不對盤，都有可能誘發過敏，上述幾項只是相對機率較高。）
化學物質	 **吸入性**：空氣汙染、甲醛等揮發性有機物、香菸、燒香、精油、氯氣消毒、臭氧、PM2.5等。 **攝取性**：塑化劑、防腐劑、人工色素、食品添加物、麵包香精、反式脂肪、各種加工品等。
物理刺激	乾燥空氣、冷空氣、喝冰水、洗熱水澡、震動、指甲抓痕。
免疫混亂因子	睡眠不足、少運動、毒性壓力、感染性疾病（病毒感染、黴漿菌感染、金黃色葡萄球菌感染等）。

二十一世紀的今天，過敏兒童的比例直線上升，不論是過敏氣喘、過敏性鼻炎、異位性皮膚炎的孩子，比例都大幅增加。醫師諄諄告誡，要去除環境中的過敏原，不過仔細想想，難道古人居住的環境，家裡都不長黴菌？床上都不生塵蟎？都不養小動物嗎？以前的人生活一定有更多過敏原在身邊，為什麼反而是現

代人的過敏疾病增加了呢？

問題就在於，現代生活中所累積的「化學物質」，實在是太多了！

提一項讓人難以置信的科學數據：二〇一八年歐洲一項大型的跨國世代研究發現，一個青少年如果在十五歲之前染上吸菸，即便他日後戒了菸，將來子代的過敏氣喘機率，仍會提高四三％。另外一項研究也發現，外祖母如果在懷孕時抽菸，除了她的女兒容易氣喘之外，隔代後外孫氣喘的機率，仍會提高二五％！

上述外祖母吸菸的機轉，是當孕婦吸菸時，香菸中的毒物進入血液中，不只女兒的過敏基因被打開，連卵巢中未來孫子、孫女的過敏基因，也都同時被打開了。至於十五歲之前吸菸的青少年，也是剛好在精子細胞第一次分裂的關鍵時刻過敏基因被打開，導致未來製造的精子也都受汙染了。看到了嗎？這就是化學物質開啟過敏基因的強大威力。

如今你我每天吸的空氣有 PM2.5、吃的東西有香精、色素、防腐劑，裝食物的容器有塑化劑，要過沒有化學物質的生活，真的很難！不過也別灰心，雖然無法盡善盡美，但只要盡量避開化學物質和過敏原，好的生活習慣，肯定會直接反應在過敏患者的生活品質上！

免疫混亂因子

剛才提到與過敏疾病相關的三大元素，但除了避開這三大敵人之外，我們也要盡量保持免疫系統的穩定。如何穩定？老生常談：規律的運動、充足的睡眠，和愉快的心情。尤其是成年人的過敏疾病，幾乎都跟熬夜、肥胖、壓力大有關，而這些因子都會讓免疫系統混亂，讓醫生只好用藥愈下愈重！

兒童比較不會有熬夜、肥胖、壓力大的問題，但他們常常面臨病毒感染，比如感冒之後誘發的過敏氣喘，感冒之後誘發的蕁麻疹，這些都是門診常見家長的困擾點。幸好，兒童容易感冒的年齡大概就是五歲前，撐過這段時間，過敏也會變得更穩定，更不需要用藥嘍！

過敏體質是化了妝的祝福

很多人誤以為過敏疾病是局部的問題，比如說鼻子過敏就要顧鼻子，氣管過敏要顧氣管，其實不是這樣的。各種慢性過敏疾病雖然症狀各有不同，但背後代表的問題卻很類似，也就是：**身體的免疫系統混亂**。

當一個人因為不健康的生活型態，比如說睡不飽、壓力大、吃零食或加工食品，導致免疫系統不穩定時，過敏鼻炎的人就會鼻塞打噴嚏，氣喘的人會夜間咳嗽，異位性皮膚炎患者則是搔癢紅腫。反之，當免疫系統趨於穩定之後，就算寒流來襲、氣候潮溼，這些症狀並都不見得會出現。因此，要維持免疫系統的穩定，就必須仰賴正常規律的作息，健康均衡的飲食，以及減少過敏原、化學物質的生活環境。

過敏體質不是詛咒，而是「化了妝的祝福」，督促一個人時常警醒，要過健康的生活！流行病學的研究發現，過敏體質的人，在某些癌症的罹病率，竟然比一般人更低，包括肺癌、大腸癌等。雖然其原因機轉仍不明朗，但以生活形態而言，過敏的病人因為擁有這種「**健康警報器**」體質，被迫要過相對健康的生活，反而成為其中一個癌症的保護因子！更不用說許多過敏兒為了改善症狀，養成規律運動的習慣，最後不僅過敏疾病好了，還成為世界級的運動員。細數奧運運動場上的得牌選手，氣喘患者比例竟然占了大約一〇％！

有許多家庭因為過敏兒，驅使全家人認真改善空氣品質，去除黴菌塵蟎，吃健康的食物，不吃零食飲料等，結果不只孩子的症狀減緩，連帶同住大人的身體，也都感覺更舒暢了。希望大家能更正面的看待「過敏」這兩個字，一旦心態改變，上帝化了妝的祝福，也會因此而到臨喔！

小叮嚀

除了避開過敏疾病的三大敵人：過敏原、化學物質和物理刺激之外，規律的運動、充足的睡眠，和愉快的心情，也是讓免疫系統冷靜下來的重要方法。

番外篇

太乾淨容易過敏，還是骯髒一點比較好？

二〇一八年《傳染病雜誌》（*The Journal of Infectious Diseases*）一項研究發現，六個月以內的嬰兒如果感染了呼吸道融合病毒，長大之後居然氣喘的機率極低；反之，六個月以上才第一次感染此病毒的孩子，長大後氣喘的機率可高出七倍！你沒看錯，六個月內！現在的寶寶，出生後一年內都保護得無微不至，照顧者甚至又戴口罩又洗手的，誰家的嬰兒可以這麼不小心，會在襁褓時期，就感染呼吸道融合病毒？

不過時光倒轉五十年，當時許多農村家庭，一屋子住了十幾個人，病毒傳來傳去乃家常便飯，若有嬰兒六個月內感染病毒，似乎也是稀鬆平常之事。不像我這種，從小住在都市公寓，小家庭長大的孩子，到了將近兩歲才感染到上述的呼吸道融合病毒，毫無意外的，我就成為那個變成氣喘的小孩。

二〇一三年一項瑞典的研究發現，媽媽們若習慣於用自己的舌頭清潔奶嘴，然後塞入寶寶嘴裡（難以想像吧！），可以養出比較不過敏的小孩。二〇一六年紐西蘭的研究也發現，那些喜歡吃手、咬指甲的寶寶，長大後過敏機率也較低。對照現代父母每天用酒精消毒奶嘴，或者隨身攜帶三支乾淨奶嘴的習慣，以及整天喝止小孩「不要吃手，髒髒」的教養文化，這些研究結果顯得格外令人錯愕！

該髒的時候髒，該乾淨的時候還是要乾淨

我並沒有要怪罪現代父母，事實上追求乾淨生活的目標並沒有錯，但凡事過猶不及，太乾淨導致過敏疾病，太髒又可能會感染致病菌，要拿捏適當的分寸，真的有夠難！而且現代人除了怕孩子感染之外，也擔心他們吃到環境中的「毒」，比如說重金屬、塑化劑等，這又是另一個不同面向的考量。

不過說老實話，以兒科醫師的角度而言，那些會致命且沒藥醫的病菌，通常都有疫苗可保護；至於其他沒有疫苗的細菌感染，也幾乎都有抗生素可治療，漏網之魚其實少之又少。至於重金屬、塑化劑的暴露，只要買東西的時候好好做功課，購買經過國家認證的無毒玩具、文具或餐具，就可以大幅減少生活中吃下肚

的毒。

因此，如果孩子都有按時接種疫苗，而且家中也有盡量減塑，那麼以下是我建議的中庸之道：

1. 在自己家裡，除非有家人正在生病，否則不需刻意環境消毒，也不用阻止孩子吃手。
2. 除非家人正在感冒生病，否則彼此臉頰、額頭親吻，對孩子的免疫系統是良好的刺激。但是閒雜人等，還是不可親吻別人家的小孩！
3. 在公共場合，則需保持洗手習慣，並且在吃飯前消毒環境、餐具，這些做法並沒有錯。
4. 有人飼養的動物，一起玩玩沒關係，野狗野貓則否。
5. 視覺上的髒汙，比如說泥巴髒兮兮，食物殘渣油膩膩，美術顏料……，家長如果可以忍受的話，還是睜一隻眼，閉一隻眼吧！
6. 最後一點：**塵蟎、黴菌、揮發性有機化合物，和各種吃下肚的化學物質，這些壞東西只會讓孩子的過敏惡化，並不會鍛鍊孩子的抵抗力變得更好，**所以接下來書本所寫的內容，還是要認真做喔！

03 懷孕期就開始預防寶寶過敏：良好的胎教

雖然媽媽受孕的那一刻，寶寶基因就已經注定，但懷孕時良好的「過敏胎教」，依然可以減少孩子過敏的機率。但千萬別搞錯了重點，有些人懷孕時不敢吃堅果、海鮮、奇異果等常聽到的過敏原，這些都是錯誤的觀念。事實上，孕婦可以吃堅果、海鮮、水果、牛奶等天然的食物，只要妳本身吃了沒有過敏反應，都不是飲食的禁忌，請放心的吃喝吧！

懷孕時期應養成的生活習慣，是要避開「化學物質」，也就是上一章節提到「過敏三元素」的第二項。現代人生活中充斥著不健康的化學物質，幾乎每一項都會調控寶寶的基因，走向過敏的體質。所以媽媽們必須破釜沉舟，甚至在「準備懷孕」的時期，就要先開始著手改變生活環境。

避免吸入體內的化學物質

懷孕時需避開生活中容易吸入的「化學物質」，包括各種空氣汙染、一手菸、二手菸、三手菸、拜拜燒香、蚊香、各種精油、化妝品香水、家具裝潢產生的甲醛與揮發性有機化合物（VOCs）等。注意環保署的空氣汙染指標，避免在空汙紫爆的日子出門呼吸，紫爆日最好關緊門窗開空調。

如果家中的老菸槍不戒菸，而且菸垢可能都黏在家具上好幾年，或是傳統信仰家庭的燒香習慣無法更改，怎麼辦？懷孕最大，砸錢買多台空氣清淨機，配備HEPA醫療等級濾網，每個房間都放一台。家具上的菸垢可用清水沾小蘇打擦拭，但如果是吸滿三手菸的布沙發、大抱枕，那還是……換一套新的皮沙發吧。

避免吃進身體的化學物質

飲食上要避免的「化學物質」，包括各種含有香精、防腐劑、人工添加物的零食、餅乾、點心、飲料和各種聞起來香噴噴的麵包。簡而言之，舉凡需要開罐子、插吸管、拆包裝、看不到食物原型的再製品，最好都要仔細察看成分表，注意看不懂的化學成分。天然的食物都可吃，從飯麵、海鮮、肉品和青菜水果，一般廚房裡會出現的油、鹽、糖也都不需要禁止，但不可以用塑膠袋或美耐皿容器盛裝食物。

這些含有化學成分的飲食，除了增加下一代過敏體質之外，不少研究也發現，孕婦和孩童過量攝取塑化劑，還可能與孩子未來的情緒障礙、過動傾向、憂鬱或暴衝行為等相關連。

最後要提醒孕婦，保健食品和藥物也不要過量，並遵照醫囑適量服用。舉例來說，大家都知道懷孕前期要吃葉酸，可以減少嬰兒神經管缺陷的疾病，但千萬不要過量，因為**過量的葉酸**，也會增加孩子未來的過敏機率！維生素D很重要，不曬太陽的孕婦應該補充，但**吃過量的維生素D**（超過800IU），反而讓寶寶更容易過敏。懷孕時期難免生病頭痛，偶爾吃「普拿疼」類的止痛藥無妨，但三不五時就吞一顆，也會造成寶寶過敏機率增加。普拿疼類的止痛成分是Acetaminophen，如果常常偏頭痛的媽媽，最好交替搭配其他種類的止痛藥。

吃什麼可以減少孩子過敏機率

吃什麼食物可以減少孩子過敏機率呢？我想是水果吧。洗一盒聖女番茄當零嘴，趁自己懷孕時，改變一下生活型態，對後半輩子的人生，也是一個健康的契機。所有天然具有抗氧化的物質，比如說富含維生素A、維生素C，都是預防過敏的好食材。

其他建議補充的食物包括全穀類食物，比如說糙米、五穀雜糧饅頭、無香精的全麥麵包、新鮮的魚。這些食物在身體裡，會去「關閉」過敏基因，因此就算妳今天被迫吸了一口二手菸，至少吃點好的食物，可以抵消一些穢物所造成的壞影響。

另外也**鼓勵孕婦媽咪，每天曬十五分鐘**的太陽，可以「適量」的提升體內維生素D，除了抗發炎減少下一代過敏之外，也可預防嬰兒佝僂症。什麼？怕黑斑？那……臉塗防曬乳，曬腿好了。天然的陽光最好，若額外口服維生素D，雖然是替代方案，但建議劑量是每天 600IU。

以下的自我審查表，列出了所有我能想像的到，懷孕時期所應該避開的「化學物質」，希望大家能一起努力去除之。

✓做好懷孕期過敏胎教：化學物質自我審查表（若有上述狀況，在下面打勾）

吸入性化學物質	
1. 我家有人抽菸。	
2. 我家每天燒香。	
3. 我家使用燃燒的蚊香。	
4. 我家抽油煙機很沒力，時常煙霧瀰漫。	
5. 我家常常點精油，或其他人工芳香劑（包括廁所）。	
6. 我的染髮劑味道很強，香水用很兇，化妝品味道也很重。	
7. 我的家具剛換新，甲醛味道揮之不去。	
8. 我家剛裝潢完，油漆或壁紙的味道很臭。	

9. 我家沒有裝潢，但是隔壁就在裝潢、施工、蓋房子。	
10. 上網查詢發現我住的地方，空氣汙染指數每天都很高。	
11. 我出門上班的路上，要吸很多的汽車廢氣。	
12. 上面說的事情在我家都還好，但是在上班的地方很糟糕。	
改善措施	
1. 戒菸，清洗帶菸垢的家具，更換吸飽三手菸的沙發與抱枕。	
2. 去除家中的燃燒物質，揮發性有機化合物（包括香水、太香的化妝品）。	
3. 如果必要的話，房間置放空氣清淨機（HEPA醫療等級濾網）。	
4. 下載「環境即時通」，隨時注意空汙指標。	
食入性化學物質	
1. 我常常吃便利商店的零食、飲料、麵包。	
2. 我常常吃速食如漢堡、披薩。	
3. 我吃自助餐時常用塑膠碗盤和塑膠袋盛裝食物。	

4. 我每天都吃麵包，愈香我愈愛。	
5. 手搖飲料等各式茶飲真是好喝。	
改善措施	
1. 多吃深色蔬菜水果。	
2. 多吃全穀類食物，如糙米、全麥、五穀雜糧，懷孕後期可吃益生菌。	
3. 天天保持好心情，注意睡眠充足。	
4. 天天曬十五分鐘的太陽，適量提升維生素D。	

小叮嚀

懷孕時期的好胎教：避開化學物質，天然飲食無禁忌！

04 懷孕期吃益生菌，有幫助嗎？又該如何挑選？

各位看完懷孕時期的過敏胎教，一定很好奇：黃醫師，您怎麼沒提到益生菌呢？好的，我現在就要來解釋了。

子宮裡面是無菌，出生馬上吃細菌

胎兒在子宮裡是無菌的，胎兒的免疫系統就像一張白紙，什麼壞菌都沒見過，當然「好菌」也都沒見過。也因此，一個孩子的免疫系統開始發展，是從母體出生後吞下第一口細菌開啟第一堂課，之後如果訓練的好，免疫系統就愈來愈穩定；但訓練過程中若是亂了套，就有可能走向過敏體質。

既然將免疫力比喻為「訓練」，那就一定要有「老師」帶領，而新生兒免疫系統的第一位老師，就是出生時「吞進腸胃道裡的第一口細菌」。

俗話說「好的老師帶你上天堂」，當寶寶第一口吃下肚的細菌是「好菌」，就會帶領寶寶降低過敏機率，反之如果是吃到壞菌，寶寶輸在起跑點，較容易走向過敏的體質。因此，長久以來研究皆發現，自然生產的寶寶，將來過敏的機率比較低，反之剖腹產出生的寶寶，未來比較容易有過敏體質。

由於自然產寶寶出生後吃下肚的細菌，是那些在陰道附近，大多屬於乳酸菌，或比菲德氏菌這類的「好菌」，因而建立起良好的免疫基礎。但剖腹產的寶寶出生之後，吃到的都是肚皮上或手上皮膚的細菌，比如說葡萄球菌、棒狀桿菌等，免疫系統走錯了第一步，會更需要後續其他好菌的幫助，才能漸漸帶回正軌，比如說：餵母奶。

雖然說自然產可以讓寶寶吃到好的產道細菌，但很有可能媽媽自己本身腸道菌種也不怎麼好，有沒有辦法改善呢？科學家就想到一個方法：讓懷孕的媽媽吃益生菌。

益生菌的故事

二〇〇一年，芬蘭的學者研究發現，孕婦在產前二到四週開始服用益生菌鼠李糖乳桿菌GG，加上出生之後給予寶寶六個月的益生菌，可成功減少一半嬰兒兩歲內異位性皮膚的機率，這項研究也開啟了「孕婦吃益生菌預防過敏」的風潮。但科學是需要反覆驗證的，二十多年來，世界各地大大小小的研究結果也陸續出爐，包括不同人種、不同菌株、不同治療時間，究竟孕婦吃益生菌，是否能預防孩子過敏呢？

我來幫各位整理一下：

1. 孕婦吃益生菌能預防的疾病，主要是嬰兒的異位性皮膚炎，而不是氣喘或過敏性鼻炎。
2. 我們最希望嬰兒出生時，能從產道吃到媽媽送給寶寶的好菌，加上母乳中的益生菌，因此「**懷孕期吃益生菌＋自然產＋餵母奶**」，是最理想的組合。
3. 生產之後，哺乳媽媽繼續吃益生菌，或讓寶寶持續吃益生菌，雖然沒有不好，但感覺是吃心安的。

4. 若懷孕期媽媽沒吃，等寶寶出生後才給嬰兒吃益生菌，根據多項研究綜合分析的結果，預防效果不太好。

5. 剖腹產的媽媽吃益生菌，效果也大打折扣，因為寶寶出生時沒經過產道，沒吃到好菌。

6. 上述「有效」的意思，並不是寶寶就不會產生異位性皮膚炎，而是降低大約二〇%至三〇%不等的機率，當初芬蘭研究的預防效果，似乎是被高估了些。

二〇〇一年的芬蘭研究還有後續，研究者追蹤這些孩子到七歲，發現懷孕期吃益生菌，僅能預防異位性皮膚炎，對預防氣喘和過敏性鼻炎是沒有幫助的。益生菌對呼吸道過敏沒有幫助，這並不是唯一的研究，後來很多大型研究也都發現類似的結果，因此想藉由吃益生菌，預防孩子氣喘或過敏性鼻炎的家長，恐怕要失望了。

最後一個問題最難回答：那如果懷孕時要吃益生菌，該吃哪一種菌比較有效？這問題，大概十年內都沒有明確的答案。根據各種文獻的實驗設計，有使用單一菌種的，也有使用多重菌種的；有吃兩個月的，也有吃兩年的；有高劑量貴死人的，也有中低劑量比較親民的，五花八門，琳琅滿目，卻沒有一種組合可以讓醫生拍板定案，說「就是它了」！

總而言之，懷孕媽咪要吃哪一種益生菌，我雖然沒有答案，但若為了吃益生菌，同時吞下化學物質的話，倒是得不償失。因此選購益生菌的時候，請大家看一下成分表，不要含有香精、香料，或其他不相干的化學物質，要吃，就吃乾乾淨淨的益生菌吧。

新生兒臍帶血過敏體質檢測

生產的時候，很多媽媽還在產檯上，底下的醫生就已經在擠呀擠的，把臍帶血流到一根小試管中，做所謂的「臍帶血過敏體質檢測」。醫生會告訴您：指數愈高，孩子將來有過敏的機率愈高。

這個所謂的臍帶血過敏檢測，其實測量的標的物是一種叫做 IgE 的抗體。這種 IgE 抗體時常在過敏兒身上發現，所以有些人以為臍帶血中如果 IgE 高，表示寶寶已經在「往過敏體質的道路上了」。然而這幾年的研究發現，原來臍帶血裡面的 IgE 大部分是媽媽的 IgE，也就是說檢測所反應的結果，只是告訴你「媽媽有沒有過敏體質」。

與其自費驗臍帶血過敏體質檢測，不如跟著台灣過敏氣喘暨臨床免疫醫學會的建議，直接計算「家族過敏指數（Family Allergy Score；FAS）」，免錢又動腦，準確度也高，大家可以自行計算看看。

✔家族過敏指數（FAS）

家庭成員	過敏症狀	過敏指數
孕婦	有	3
	偶發	2
丈夫	有	3
	偶發	2
胎兒之兄姐	有	3
	偶發	2
夫妻之父母及兄弟姐妹	有	2
	偶發	1

舉例：爸爸和媽媽都有某種過敏疾病，其過敏指數總分為3+3=6。

家族過敏指數（FAS）如超過四，則是屬於高危險群的過敏家族，生下來的寶寶可能也會有某種過敏疾病。（Acta Paed Sin Vol.32 1991）

小叮嚀

懷孕期吃益生菌＋自然產＋餵母奶，是預防寶寶異位性皮膚炎最理想的組合。

05 零到四個月：母乳最好，但要小心飲食內容！嬰兒洗澡也要注意！

寶寶出生之後，免疫系統開始快速學習，正如身體其他的器官一樣。因此，在零到四個月這段時期，我們要努力幫寶寶營造良好的「免疫教室」，除了繼續提供「好細菌」之外，更要持續避開引起過敏的「化學物質」！

別讓「化學物質」和「高油脂」，壞了母乳的好效果

上一章說到自然產好處多多，但剖腹產的媽媽千萬別沮喪，因為反敗為勝的契機，就在母乳的成分裡！母乳除了各種營養上的優點之外，它也是優質的乳酸菌與益生質的來源。寶寶六個月之前喝母奶，可以持續提供源源不絕的「好老師」，給寶寶的免疫系統「好好上課」，降低過敏疾病的機率。

雖然醫生們都鼓勵哺餵母乳可以減少過敏，但若哺乳媽媽搭配一些不利的因素，反而會讓喝母奶的寶寶，增加罹患異位性皮膚炎的機率：

1. **哺乳媽媽「化學物質」吃太多：**很多媽媽懷孕時忌口忌得發慌，寶寶卸貨之後馬上大開口戒，狂吃零食飲料一吐怨氣。但這樣一來，所有的毒素又從母乳進入寶寶的身體裡，干擾免疫系統的正常發展。

2. **哺乳媽媽「吃太油」：**二〇二一年日本廣島大學研究，刊登在《科學報告》（*Scientific Reports*），利用動物實驗和真人的母乳觀察，證實母乳中「長鏈飽和脂肪」太多，會誘發小老鼠和嬰兒的異位性皮膚炎！長鏈飽和脂肪存在於早餐的奶油、乳品，以及帶油的肉類，月子餐裡的麻油雞和花生豬腳，恐怕也是引起寶寶異位性皮膚炎的原因之一。

3. **迷信母乳最好，太晚給寶寶副食品：**二〇一六年英國利物浦大學的世代追蹤研究發現，寶寶六個月內親餵母奶，可減少寶寶異位性皮膚炎機率，這優點我們早已明白。但奇怪的是，若繼續親餵下去，完全不給寶寶吃副食品，六個月之後不但保護效果消失，還會漸漸增加異位性皮膚炎的機率到五歲！這研究告訴我們雖然母奶很棒，但千萬不要忘記在六個月後，開始給寶寶吃副食品！

除了上述三種地雷之外，哺乳媽媽可以安心的吃各種喜歡的天然食物，尤其是蔬菜、水果、魚和全穀類食物等，肯定能帶給母奶寶寶額外的幫助。

水解蛋白奶粉可能有幫忙

雖然在媽媽飲食控制的前提下，親餵母乳是預防過敏最好的選擇，但有時候因為各種外力因素，非不得已必須使用配方奶，此時使用水解蛋白奶粉，也許是預防過敏比較好的選擇。

水解蛋白的奶粉之所以能夠稍微降低過敏機率，是因為它們把牛奶蛋白的分子切得比較碎，減輕了腸胃道免疫系統的負擔。坊間有一些謠傳，說部分水解蛋白奶粉營養價值差、熱量較低等，其實都是道聽塗說，不需要擔心這麼多。這些部分水解蛋白奶粉的營養價值，和一般嬰兒奶粉其實是完全一樣的。如果父母親本身都是高過敏體質，那麼從一開始使用配方奶的選擇，就可以先以部分水解蛋白奶粉為首選。

但喝配方奶的寶寶，也別忘記在四到六個月添加副食品，我們將在下一章節，和各位詳細解釋。

洗澡水別太熱，勿用沐浴產品，沒人規定要天天洗澡

你可能還記得，寶寶剛出生的時候，全身覆蓋著白白厚厚的胎脂。由於新生兒寶寶的皮膚非常稚嫩，那些空氣中的懸浮微粒、表皮的壞細菌，都有可能滲透到皮膚內，引起免疫系統的混亂，進而造成過敏體質。因此，上帝給了嬰兒皮膚上一層厚厚的胎脂，不僅提供良好的皮膚屏障，還有少許抗菌的作用，徹底阻擋這些壞細菌穿透寶寶皮膚。

很可惜，這麼珍貴的胎脂，出生沒多久就被搓掉了。更多家長犯的錯誤，是出生後幫寶寶洗澡時，塗抹香香的沐浴乳（化學物質），讓寶寶皮膚每日分泌少量的皮脂，又再度被搓洗殆盡。還沒完呢！許多家長為了怕寶寶著涼，洗澡水溫度動輒三十八度以上，熱水破壞了皮膚屏障，異位性皮膚炎可能因而產生。

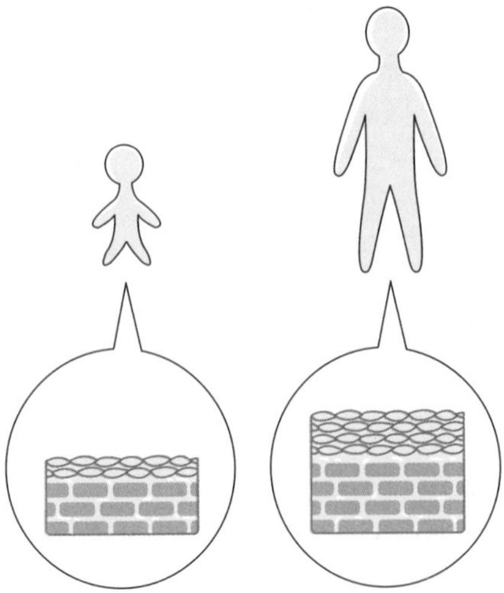

新生兒寶寶的角質層，已經比成年人薄三〇％，如果再加上覆蓋的油脂不夠厚，這個牆壁也就不夠堅固了。

一般人的肌膚，是由很多層的角質細胞，覆蓋上一層分泌的油脂，以建立堅固的銅牆鐵壁，阻擋外來的壞細菌入侵。

洗過碗的人都知道，用熱水沖洗碗盤，油汙可被輕鬆沖洗乾淨，有時候連洗碗精都省了，何況是寶寶皮膚上的油脂。可憐的寶寶肌膚，被這樣多重傷害之下，失去了銅牆鐵壁，於是以金黃色葡萄球菌為首的「壞細菌大軍」，侵門踏戶的搞破壞，造成異位性皮膚炎的惡化。

所以家長們請聽我的話：兩歲前寶寶，若沒有異位性皮膚炎（已經發作異位性皮膚炎的寶寶照顧上會不太一樣，可以看下一章），其實不一定需要天天洗澡，冬天沒有出門，可以隔天再洗就好。要幫寶寶洗澡，請用清水即可，不需使用肥皂（包括母乳皂）、沐浴乳、泡泡浴或酵素等用品，水溫大約二十八至三十二度。若天氣寒冷，可以

寶寶皮膚每日分泌少量的皮脂，被沐浴乳洗掉，再加上洗澡水的溫度時常過高，動輒三十八度以上，破壞皮膚屏障。可憐的寶寶肌膚，被這多重傷害之下，當然抵擋不住以金黃色葡萄球菌為首的「壞細菌大軍」，過敏就產生了。

在浴室開個暖氣，或事先用熱水暖一暖浴室，水溫還是不可太高。如果當天有帶寶寶外出，身上沾染了油汙，或流汗有點異味，非得使用洗劑時，也必須選用無香精、低敏專用、沒有泡沫的產品。

嬰兒肌膚還沒受傷前，不需「預防性」的保溼

提醒：沒有乾燥肌膚的寶寶，不需要「預防性」的塗抹保溼乳液。雖然過去有一些小型的研究認為，就算還沒有異位性皮膚炎，也可以藉由預防性的保溼，來預防過敏的發生。但是二〇二〇年英國一項多中心的研究，針對一千三百九十四名高過敏風險嬰

兒的研究結果顯示，不分青紅皂白的每天亂塗乳液，追蹤兩年下來，並沒有預防過敏疾病的效果。

我自己的經驗也是如此，有些媽媽因為擔心寶寶發生異位性皮膚炎，每天辛勤的塗塗抹抹，到最後寶寶反而全身起疹？原來是保溼保過頭，搞得全身都發起「熱疹」啦！因此我的建議是，若寶寶皮膚摸起來開始有一點點乾燥，有一點點粗糙感，甚至輕微脫皮，這時候就可以使用沒有香精、嬰兒專用的乳液，做好皮膚補強的工作。至於其他皮膚仍水嫩嫩的嬰兒，基本上是不需要塗保溼乳液的。

最後提醒，嬰兒衣物應以清水洗滌，最多使用單純的水晶肥皂就可以，避免使用含有螢光劑、香精、酵素或添加物等等的衣物洗滌劑，別讓寶寶肌膚接觸這些化學物質。

親餵母乳要忌口，副食品要跟上，嬰兒洗澡水別太熱，正確使用保溼乳液。

06 四個月到九個月：把握免疫黃金期，少量多樣化添加副食品

四個月大之後，當您家的寶寶開始對大人的食物睜大眼睛，感到有興趣的那一天，即可開始他的副食品之旅了。一開始寶寶還不太熟悉「吞嚥」這動作，沒關係，還是可以開始「少量多樣化」的用舌頭舔一舔，品嘗一下各種食物。

「寶寶太晚開始吃副食品，反而更容易過敏！」這已經不是新知，而是常識了。如果還有人認為「有過敏家族史的寶寶要延遲吃副食品」，表示其觀念還停留在十年前的錯誤中。非常多的研究都如此顯示，太晚讓孩子的免疫系統接觸到副食品，反而更容易有異位性皮膚炎、溼疹、氣喘。

為什麼四到六個月開始吃副食品，會比延後到九個月之後還要好呢？原來當嬰兒的腸胃道在四個月大準備好接受副食品的同時，身體的免疫系統也開始準備好免疫耐受性的產生，而此黃金時期（window of tolerance），正是在嬰兒

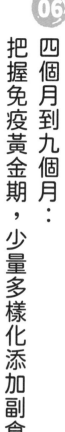

四個月到九個月的年紀之間。在這段期間添加的食物，絕對不要避重就輕，任何天然的食材，包括蛋白、蛋黃、魚肉等，都應該在寶寶四到六個月之間添加，即便是過敏體質母親所生的嬰幼兒也不例外。舉例來說，寶寶在九個月前曾經吃過「魚」，未來可以減少將近一半的過敏氣喘機率！但是若拖延到一歲才吃雞蛋，雞蛋過敏的機率高出其他孩子三．四倍！

少量多樣化的免疫理論

一開始添加副食品，什麼米精、麥精跟奶混在一起喝！十倍粥、五倍粥吃好幾天！這些都是過時的做法。這樣不但食物過於單調，而且完全沒有訓練到寶寶咀嚼的肌肉，也沒有帶給免疫系統良好的刺激。以前專家（包括我自己）曾建議增加食物的種類以「三天增加一種」為單位，但現在的我也已經不再如此建議了。新的添加副食品概念是：**少量多樣化的副食品刺激，直接跟著大人一起吃**。

添加副食品，就像是免疫系統開始上學，學校的課表從早到晚，會在同一天放入各種不同的科目，少量而多樣化。你不會看到有學校發的課表，連續三天每堂課都上同一科目，這種衝刺班的學習模式，孩子一定受不了。

添加副食品的原則正是如此，若連續幾天吃同樣的食物，容易讓腸胃道免疫系統無法負荷，進而誘發過敏反應。以前在門診，就聽到很多媽媽詢問，孩子連續吃了三天米精就過敏，再吃三天南瓜也過敏，每試一種新食物都是吃三天後過敏，害她心中充滿了挫敗感，不知道要怎麼繼續吃。其實，如果少量多樣化，一天只吃個一兩口，搭配其他食材也是少量的吃，就不會發生這種事情了。以免疫學的概念而言，這也是母乳寶寶不容易過敏的原因之一，因為媽媽吃什麼食物，母乳中就會出現極微量的食物蛋白，母乳寶寶從出生開始，就少量多樣化的攝取各種食物。

跟著大人一起吃，每種食物吃一口

寶寶添加副食品，有四個注意事項：

1. 不要矯枉過正，四個月前寶寶腸胃道尚未成熟，不適合添加副食品。
2. 跟著大人一起吃，但只吃食物的原型，不吃加工品。

3. 少量多樣化，每種食物壓爛剪碎吃一口就好。
4. 蜂蜜和太硬的堅果種子，不可以吃。

比如說，今天大人餐桌上有紅蘿蔔，就用湯匙壓爛，或剪碎，直接讓寶寶嘗一嘗。若今天還有煮豆腐，一樣挖一小匙，分給寶寶吃一口。一天不管給幾種食材都可以，重點是量都不要多，一兩口就好，也不要每餐都吃一樣的食物。寶寶如果吞下去，拍拍手，不一定要再追加；寶寶如果不喜歡，把食物吐出來，其實已經有一點點食物蛋白滑進腸胃道，已經足夠刺激免疫力成長茁壯了。

現代人生活忙碌，開伙的家庭已經不多，如果還要另外擠出時間幫寶寶烹煮食物，勞心勞力，寶寶卻不賞臉、不肯吃，最後常常成為媽媽產後憂鬱的引爆點！既然要花時間下廚，不如煮一些自己喜歡吃的東西，即便寶寶不吃，大人也可以開心的分食掉。有些家庭雖然天天外食，但為了與寶寶分享食物，也會因此而特別謹慎，挑選健康的店家購買食物，這樣全家人反而會因為寶寶的出生，而一起變健康！

一歲以前蜂蜜不能吃，三歲前堅果花生等硬食物不可以整顆餵食，除此之外，不需刻意閃躲餐桌上食物，只要是天然食材，都可以吃。我們的目標是寶寶九個月大的時候，應該已經嘗過所有山珍海味，包括各種蔬菜、水果、豆類、魚、肉、雞蛋、澱粉類等。少量多樣化的原則，每種食物吃個兩口就停，不要追多、不要過量，更不要心急想一餐取代喝奶。

過敏反應，抓大放小

不用害怕真的發生過敏症狀時，抓不到引起過敏的食物元凶。一般情形下，這樣的少量多樣化飲食，就算有不適應，也只會發生輕微的症狀，比如說少許皮膚疹子、輕微的肛門周圍小紅疹等，這些情形都不需要太在意，畢竟下次吃到同樣食物，又是幾天以後了。如果症狀有愈來愈改善，表示耐受性慢慢在建立；如果過敏愈演愈烈，也只好暫時放棄，等寶寶一歲以後再說。

萬一真的發生大過敏，比如說全身發紅、大範圍蕁麻疹、嘔吐好幾次，或者腹瀉有血絲等等，可以跟醫師討論，通常凶手都是「牛奶、雞蛋、黃豆、海鮮、堅果、小麥」這六種食物其一。如果是吃太大量，可以先暫停兩週，兩週後再吃一口看看。如果吃一口也大失敗，只好放棄此食物，等寶寶一歲以後再說。

大量而單調的食物，常常誘發過敏而不自知

您一定曾經聽過自己或朋友的寶寶，前面幾個月吃奶都好好的，到了三、四個月大時，卻開始嚴重厭奶的故事。這些寶寶喝配方奶之後，常常會哭鬧躁動，肚子好像有些脹氣，甚至有嘔吐、輕微腹瀉、尿布疹或便祕的症狀。這就是「大量而單調」的餵食，大量暴露在牛奶蛋白中，沒有其他免疫的刺激，所產生的**牛奶蛋白過敏**問題。

因此，在這段免疫訓練的黃金時期，任何「一枝獨秀」的食物，都可能讓孩子的體質走向過敏。包括像副食品的添加，只要單一種類食物天天吃，量又多，即便是營養的全穀類食物，健康的單一水果，黃豆製品等，也都可能會發生同樣的狀況。當然，這也跟每個孩子的體質有關，有些孩子體質特別敏感，也有孩子就順順的，隨便吃什麼都不會過敏。

即時添加副食品，少量而多樣化，跟著大人一起享用健康的食物。

番外篇

幼兒添加副食品的五大迷思

您一定有接受過家人或朋友好心的勸告：「某種食物容易造成過敏，不要給孩子吃。」於是寶寶被禁止吃魚，不能吃蛋，不能碰奇異果，每天的副食品是清淡的白粥配蔬菜，還真是可憐！事實上，根本沒必要這樣折磨寶寶，以下我整理出家長常犯的五種添加副食品的迷思，給大家參考參考：

迷思一：搞錯過敏機率

除了牛奶過敏機率較高之外，就算是排名第二的雞蛋蛋白，兒童發生過敏的機率也大約只有一％左右，至於其他的海鮮、花生和豆類等，致敏機率則都小於百分之一。也就是說，一百位兒童當中，只有一位吃了這種食物會發生過敏現象。

現在請大家想一想，有必要為了那一位過敏兒童，來剝奪剩下九十九位孩子「吃」的權益嗎？別人家的小孩過敏，並不見得我家的也會過敏。而且事實上食物過敏這件事，九〇％以上都會產生耐受性，也就是說經過少量多次的訓練之後，愈早接觸（四個月大以上），將來長大反而愈不容易過敏。

迷思二：不能添加鹽巴與糖

的確「重鹹」與「重糖」，會打壞寶寶的口感，但完全不加鹽與糖，對某些食物而言，還真的是難以下嚥。當媽媽精心做了一份副食品，卻換來寶寶撇頭不賞臉，真的會讓家長傷心與憤怒，此時先別急著摔碗。寶寶的味覺其實從出生開始，就和你我一樣良好，甚至更加敏銳，所以如果大人也無法每天吃這麼清淡的飲食，更何況是寶寶呢？

加一些鹽巴與糖，絕對是安全無慮的。寶寶的腎臟剛出廠，功能好得很，對於這一點點鈉離子，還不致於排泄不掉。水果裡的糖分，澱粉裡的糖分，都是天然而健康的，千萬別再跟自己過意不去，聽信「孩子吃水果怕太甜，之後什麼食物都不肯吃」這樣的說法了。當然像味精這種非天然的調味劑，我就不建議了。

迷思三：不能吃太油

和鹽巴與糖一樣，很多家長拿著「少油、少鹽、少糖」的健康建議，來對待寶寶的副食品。事實上，少油、少鹽、少糖，是對老人家的飲食建議，尤其是「三高」的患者而言。但對兒童而言，不飽和油脂的攝取非常重要，只要不是容易引發過敏的「反式脂肪」，或者是攝取過量的「動物性脂肪」，好的油脂不僅可以潤滑腸胃道，減少便祕，更重要的是促進神經發展，幫助大腦成長！

冰過母乳的媽媽應該都有經驗，母乳上面一層厚厚的，都是油脂，怎麼轉為副食品之後，就突然之間沒有油了呢？因此，正常的烹調之下，這些油脂都是可以給寶寶吃的，如果真的不放心，食物先過一下水，再給寶寶吃就好。

迷思四：不能吃太多雞蛋

孩子長大後愛吃雞蛋，每天吃掉一顆，會不會膽固醇過高？答案是：不會。在眾多的蛋白質來源中，我認為最棒的食物，雞蛋絕對是第一名。除了胺基酸、熱量之外，它含有豐富的微量元素，包括鋅、鐵、維生素等，而且提供的膽固醇也大部分是優質的膽固醇。因此喜歡的話，一天吃一顆，頭好壯壯，真的不需要阻止。

迷思五：一定要同時攝取青菜與水果

「一天五蔬果」，對老人家而言，必須遵守「三蔬菜、二水果」的比例，但是在兒童則無此限制。同樣的理由，水果在老人身上必須擔心血糖的上升，不能無止境的攝取，但是在兒童，根本不需要擔心這兩件事。因此如果您的孩子只愛吃水果，不愛吃青菜，營養上不會有太大的差別，是可以通融的。

但為了讓孩子養成不偏食的習慣，一週「吃一口」他不愛的青菜或水果，訓練一下對食物的接受度，長期下來也會愛上蔬菜的唷！

07 十個月到三歲：塵蟎黴菌大作戰，別吃零食

孩子的免疫系統走到十個月大，腸胃的免疫訓練黃金期已完成，接下來的目標，是別讓孩子染上吃零食的習慣，避免「化學物質」的傷害，以及開始清除環境中的「呼吸道過敏原」！

很多人應該聽過所謂**「過敏三部曲」：四個月大異位性皮膚炎↓兩歲過敏氣喘↓五歲過敏性鼻炎**。如果照顧得當，隨著年齡增長，異位性皮膚炎和氣喘會逐漸穩定，但過敏性鼻炎卻會跟著你一路到成年。

左頁這張示意圖，也是要告訴新手父母：**過敏氣喘和過敏性鼻炎並不是出生就發生的疾病**，一歲前寶寶鼻塞或者咳嗽、喘鳴，通常不是過敏發作，而是有其他的病因。由於呼吸道過敏疾病，必須被吸入性的「過敏原」慢慢誘導，因此通常是在兩歲過後，才會逐漸發作。

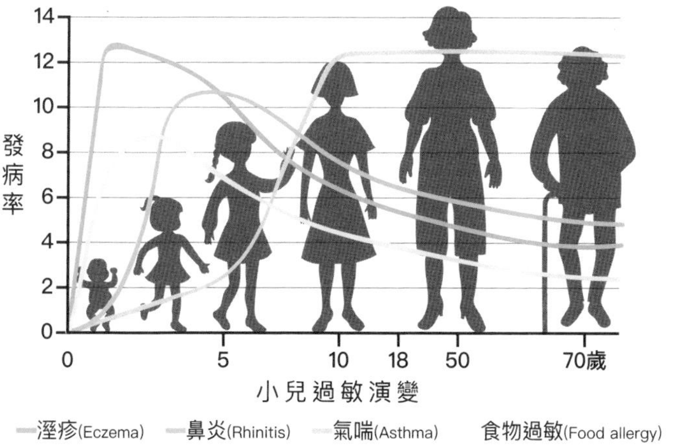

資料來源：March 2019 The Journal of allergy and clinical immunology

然而，凡事必須防患於未然，因此在這段幼兒期，我們可以先替過敏體質的孩子，做環境的清潔，以減少吸入性過敏原的大量暴露。在緯度比較高的北美、北歐、日韓等地，吸入性的過敏原時常是花粉或種子，若有讀者曾經在高緯度地帶居住，春暖花開時應該很有感。但身處亞熱帶溫暖潮溼的台灣，花粉或種子不是我們該擔心的，卻要致力於減少這四項過敏原：**塵蟎、黴菌、蟑螂、狗貓**。

防蟎套與除溼機：杜絕塵蟎與黴菌

台灣呼吸道過敏的孩子，幾乎都對塵蟎過敏。塵蟎是一種非常小的八爪蟲，牠們喜歡潮溼的環境，每天吃的食物是人類或寵物所掉落的皮屑，以及黴菌的碎片。光是成年人一天掉落的皮屑，就可以養活三千隻塵蟎，每隻約可以產下高達八十顆卵，乘起來一年繁殖上百萬不是問題。在台灣七五％以上的家庭，都能在床墊、枕頭、地毯等皮屑堆積的地方，找到塵蟎與黴菌的蹤影。

請大家務必釐清一個觀念：讓人呼吸道過敏發作的最小單位，並不是整隻蟎蟲，整顆黴菌，或整根狗毛，而是這些物質的最小單位——蛋白質。也因此床墊、枕頭、棉被裡，不僅只有活體塵蟎會讓人哈啾、咳嗽、皮膚癢，包括塵蟎的屍體，糞便、分泌物和卵等，都會帶有致敏的蛋白質，長期累積下來頗為可觀。也因此床上塵蟎所衍生出的過敏原總量，比平常空氣中吸入的數字超過十倍有餘，足以解釋為什麼過敏的孩子「一躺上床就咳嗽」，「晚上睡覺就鼻塞」。

很多家長一聽到我說消除塵蟎，立刻強烈聲明有勤洗床單，有定期使用除溼機，但效果還是有限。根據一些除蟎的醫學研究看來，光靠單一措施讓臥室的塵蟎量下降，實在不太容易，必須多管齊下才有幫助。家長可以依照下列的方法執行：

1. 每日定時除溼：

當室內溼度在五〇%以下的時候，塵蟎和黴菌這兩大致敏元凶，就會很難繁殖，活得很不好。但如果能夠將溼度降到三五%以下，更能夠直接殺死塵蟎，大家可以趁孩子去上課，或長時間離開臥室時，一天一次讓溼度降至三五%以下，大約一至三小時即可。家中若只有一台除溼機，我會不同房間輪流除溼，兩台以上當然就更好調配了。

購買市面上的除溼機時，請先計算一下功率，一般除溼機都會標注這台機器「每天能除溼多少公升的水」，簡單的換算十坪房間就選功率十公升／天、二十坪房間選功率二十公升／天。不過啊！我的建議是功率還是挑選強一點，除溼速度才快，買一台不夠力的除溼機，整天辛苦的嗡嗡叫，溼度卻老是在五〇%下不去，真有點浪費時間也浪費電。

人不在的時候除溼，人在的時候，就把除溼機關掉，或者設定溼度回升到五〇至六〇%。有些家長會擔心人不在時使用除

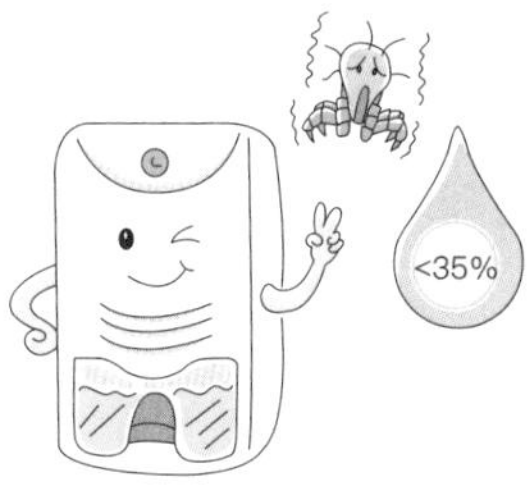

▲標準檢驗局網站

溼機會起火，但其實會起火的除溼機型號都在　標準檢驗局網站上，這些機器都是當年使用同一批瑕疵零件的不良產品，消防署已經公告再公告，竟然還是有許多民眾不知道自己家裡有個自燃物。只要你上網查詢，確認自己使用的除溼機安全無虞，就可以關起門來除溼不用擔心。消防署提醒，購買除溼機前確認安全標章，不要放在壁櫥內使用避免散熱不良，也不要用水沖洗，更重要的是，不要一個插座分接一堆電器過載使用。

2. 使用防蟎套：

正如前面所述，床上是塵蟎繁殖的大溫床，因此不管什麼材質的床墊、枕頭、棉被，最好是使用全罩式防蟎套全部包覆起來，外面可再套一般花色的床單，定期清洗床單即可。防蟎套的用途是只透氣，卻不透蟎蟲、蟎卵、蟎糞便，將防蟎套拿起來對著光檢查材質，應該是看不到空隙才對。有關防蟎套的選擇，我會在後面詳述之（P.250）。

3. **丟掉地毯、厚窗簾布、布沙發、布抱枕：**

這些東西都是塵蟎、黴菌生長的溫床，可改換用皮革材質，或以木製家具取代。若無法移除布沙發和布抱枕，也可以使用防蟎套包覆，不講究透氣的話，也可以用黑色大塑膠袋包覆內膽，外面再使用原本花色的布套。

4. **床單與絨毛玩具的洗滌：**

包上防蟎套之後的床鋪，您可能會再套上一個孩子喜歡的漂亮床單。這些床單枕套，加上孩子抱的絨毛玩具，需每星期泡在攝氏五十五度以上的熱水，或以清水洗滌乾淨，再用烘衣機烘乾。

5. **使用 HEPA 醫療級濾網的空氣清淨機、除蟎機或吸塵器：**

使用這些過濾型家電，可減少空氣中飄浮的灰塵與塵蟎，吸塵器／除蟎機拿來拍吸床鋪，也能清除部分表面的塵蟎。但這些做法，都還是搭配防蟎套後使用，較能事半功倍。

好的空氣清淨機，還可以去除空氣汙染（菸、香和有機物），以及漂浮的寵物皮屑，如果家中有養狗養貓的話，可以多放幾台在不同房間，全天運轉一點也不耗電（但耗材就不見得便宜就是了）。

6. **去除壁癌與黴菌斑：**

研究顯示，嬰幼兒暴露在過多黴菌的環境，未來過敏的機率會增加，因此該除的黴還是要早點處理。除此之外，冷氣濾網和電風扇葉在頻繁使用的季節，更要每週洗淨；冷氣機本體也容易發黴，建議每二至三年送廠清洗，或請專業人員到府清洗。

7. **滅蟑保健康：**

消滅居家蟑螂的做法有三：

1. 有洞堵起來：廚房浴室的排水口，睡前都要用蓋子封住。
2. 不給蟑螂食物吃：桌上不要留食物。

3. 定期定點施放滅蟑餌劑：但是要非常小心，不要讓嬰幼兒因好奇而誤食。

別讓孩子養成吃零食的習慣

很多孩子在嬰兒時期都吃得很健康，甚至矯枉過正的少油、少鹽、少糖，但可能一開始育兒太辛苦了，有點後繼乏力，疲憊的時候，會開始用餅乾、糖果、飲料打發或獎勵孩子。然而，這些零食裡的「化學物質」，包括黃色色素、紅色色素、防腐劑（苯甲酸鹽）、抗氧化劑、保存劑、人工甘味劑等，都會讓免疫系統大混亂，誘發出過敏疾病，家長戒之慎之。

去除塵蟎、黴菌與蟑螂，別養成孩子吃零食的習慣。

番外篇

家有過敏體質，能養寵物嗎？

聽說有少數父母，一知道自己懷孕，擔心孩子將來過敏，就準備要把家裡的寵物送人，拜託！請千萬別做傻事。雖然狗貓身上的皮屑，是台灣呼吸道重要的過敏原之一，但從小就跟狗貓一起相處的孩子，並不一定就會被誘發過敏氣喘或過敏性鼻炎。

衛生理論不等於養寵物

大家可能聽過所謂的「衛生理論」：研究發現，生活在農場的孩子，每天跟牛羊豬玩在一起，接觸了各式各樣的屎尿、細菌和分枝桿菌，說也奇怪，氣喘及過敏疾病反而很少。但生活在窗明几淨的都市家庭中，孩子每天洗手消毒，乾乾淨淨，長大卻有較高的過敏機率。因此，就有人提出假說，如果農場的孩子比較不會過敏，那都市小孩是否家裡養多一點寵物，也可以減少過敏氣喘的毛病呢？

根據目前醫學報告，養寵物或許對預防過敏有些幫助，但大部分研究卻「莫衷一是」。

細數過去二十年來的研究，有些結論是養寵物對過敏體質不好，但也有其他研究結果完全相反；有人認為懷孕時期就開始養寵物比較安全，卻也有人說懷孕期養寵物對孩子更糟糕；有研究者贊成養貓，另一群贊成養狗，還有涉及其他家畜的養豬、養羊，或者認為喝農場的生乳才是關鍵⋯⋯。除了各種寵物之亂，養寵物對哪一種過敏疾病有幫助，答案也是五花八門。有研究認為養貓可以保護氣喘，但對鼻炎與皮膚過敏無效，但多查詢幾篇論文，立刻可以找到另一篇，持完全相反的結果。

養寵物與否，無法隨機分配

醫學研究對寵物與過敏這個議題，始終無法做出結論的理由，是因為研究者「不能隨機分配養寵物的家庭」，也就是說，在還沒有進入研究之前，實驗組家庭早就已經養寵物，而對照組本來就沒養寵物，這是無法改變的事實。以我自身為例，我從小氣喘加上過敏性鼻炎，所以老婆懷孕前，家裡就沒養寵物，因此如果我加入上述的臨床實驗，永遠會被分配到「不養寵物」的對照組，總不可能強迫我養條狗吧！於是我加入了對照組，但我的孩子因為基因遺傳，過敏機率卻是偏高的，結果反而讓人誤以為「沒養寵物的家庭，容易養出過敏的孩子」，但其實可能一點關係也沒有。

過敏體質家庭，養寵物前請三思

寵物可不像塵蟎，不能等孩子發生過敏，就把寵物送人，這是家長在養寵物之前，需要認真思考的問題。尤其是選擇狗朋友，不要以為養短毛狗，會比養長毛狗更不容易過敏，很有可能是完全相反，因為過敏的來源並不是動物的毛，而是皮屑、尿液、口水中的蛋白質，容易掉毛的短毛狗，甚至比長毛狗更容易誘發過敏。

總而言之，針對寵物這個議題，我做出下列結論：

1. 原本就就已經養寵物的家庭，請繼續原來的生活，寵物不需要送人。
2. 完全沒有過敏體質的家庭（可參考 P.56 家族過敏指數），夫妻突然想養寵物，不論是懷孕期或是孩子出生後，理論上都可以養。
3. 對於有過敏體質的家庭，如果原本家中沒養寵物，那麼還是別冒著過敏的風險，貿然決定養寵物，免得日後孩子過敏時，把自己搞得進退維谷，怎麼做都不對。

08 任何年齡：睡眠充足，戶外運動，愉快心情

三歲過後，免疫系統經過好菌壞菌的訓練，基本上已經日趨成熟。環境中的「化學物質」，以及空氣中不好的「過敏原」，也在各位的努力之下，僅有極微量的暴露。父母剩下能做的，就是教導孩子的免疫系統養成好習慣，有充足的睡眠、規律的運動，以及愉快的心情，才能繼續保持健康。

充足的睡眠

如果爸爸媽媽您自己有過敏體質，應該有切身的經驗，知道充足睡眠對於過敏症狀有極大的影響。我自己的過敏性鼻炎，就是在當實習醫師的那一年，因為長期熬夜值班，睡眠不足而發作。

現在的兒童與青少年，每天生活愈來愈忙碌，包括在學時間過長，課後還有安親班或補習等活動。我常常諄諄告誡家長與學生，在排每日行程表時，睡眠時間絕對是第一個列入；任何的活動只要和就寢時間牴觸，優先將活動取消或改期，而不是壓縮睡眠。根據每日所需要的睡眠時間推算，十二歲之前一定必須在九點前就寢，而十二歲之後也應該是十點就寢，才可能湊滿睡眠時數。

睡眠不足會造成身體的免疫系統混亂，在任何年齡都可能因此而誘發過敏體質；而在已經有過敏疾病的孩子身上，也會使嚴重度更加惡化。舉例來說，患有過敏性鼻炎的孩子，若因為睡眠不足而使鼻塞惡化，原本睡眠時間已經不足，半夜打鼾鼻塞，睡眠品質也受影響，更是睡也睡不飽，導致疾病的惡性循環。

不同年齡的孩子，所謂充足的睡眠時間如下：

年齡	每日需要的睡眠時數
學齡前兒童（三至五歲）	十至十三小時
小學生（六至十二歲）	九至十一小時
中學生（十四至十七歲）	八至十小時
成年人	七至九小時

戶外運動

過敏兒應該多運動，當然運動也可以預防過敏，這兩者乃相輔相成。根據研究，不管是兒童還是成人，一週運動三次，每次至少三十分鐘的

有氧運動，對整體的過敏症狀是有顯著的改善。

雖然運動的項目還是看孩子的興趣而定，但如果能夠從事戶外運動，那更是有加分的作用。為什麼呢？因為戶外運動能同時曬曬太陽，增加維生素D的轉換，而維生素D正是抗發炎，預防過敏的利器！第二個原因是，戶外運動可以讓孩子接觸泥巴、草皮等天然環境，其中所共生的「無害細菌」，比如說各種分枝桿菌，正是促進免疫系統走向健康的好老師！

日曬不足的孩子，可以每天口服補充 400IU 的維生素D，最多不可超過 2000IU。

愉快心情

一位年輕皮膚科醫師告訴我，他有個病人曾經是某外商的高階主管，患有慢性過敏性蕁麻疹，多年來經歷了各種治療皆無效果，每晚仍然癢到無法睡覺。終於有一天，他從職場退休，決定專心來醫治皮膚過敏，拋棄了以往看的醫生，找上了這位剛開業的年輕醫師。說也奇怪，一用藥之後立刻痊癒，此新開幕的診所

也被病人大力吹捧，在鄰里街坊四處傳頌。

看了這段故事，相信大家應該都猜想得到，治好病人多年纏病的，不是醫生，而是「退休」。退休之後，心情輕鬆、生活愉快，再怎麼難纏的過敏，也都不藥而癒。各位家長如果希望孩子未來不過敏，任何時候謹記「多陪伴，多鼓勵，少責罵」的原則，讓孩子天天心情好，過敏自然不會上身。除此之外，孩子的壓力來源常常來自夫妻吵架，因此維繫夫妻感情，也是預防孩子過敏的重要招數，婚姻請務必要好好經營喔！請參考延伸閱讀：《安心做父母，在愛裡無懼》（親子天下出版）。

別濫用抗生素

根據研究，一歲前使用抗生素的孩子，未來過敏疾病的機率偏高，很有可能是當我們要殺壞細菌的時候，把腸胃道裡的「好菌」也一併除掉，導致免疫系統的發展失衡。

當然，一歲前使用抗生素，常常是治療疾病所需，也是必要之惡。但至少我們可以盡量「戒急用忍」，能不使用就忍住，非用不可時，選擇最適當的時機，精準的挑選適合的抗生素，並完成一個療程。

由於使用抗生素的時機實在太多樣，在本書無法一一詳述，請參考延伸閱讀：《發燒免驚！搞懂流感、腸病毒，小兒生病不心慌》（親子天下出版）。

✓兒童期預防過敏終極版 check list

㈠避開過敏化學物質

Ⓐ吸入性

1. 戒菸、去除燒香、蚊香、油煙等等家中燃燒物質。必要時使用 HEPA 空氣清淨機。
2. 停止使用劣質精油、人工芳香劑、美髮產品、濃郁的香水與化妝品。必要時使用 HEPA 空氣清淨機。
3. 拒絕劣質家具、裝潢，或兒童玩具等可能含甲醛味道的來源。

4. 下載「環境即時通」APP，當空汙指數過高時，盡量別帶孩子出門。

B 攝取性

1. 哺乳媽媽與兒童，多吃天然的食物，勿吃盒裝食品。

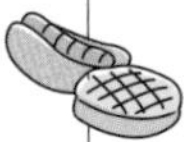

2. 哺乳媽媽與兒童，拒絕零食、飲料、速食、麵包、任何可能帶有人工添加物的食品。
3. 哺乳媽媽與兒童，注意塑膠奶瓶、兒童碗盤、美耐皿、塑膠餐具、包裝飲料等等含有塑化劑的餐具。盡量使用有隔熱設計的不鏽鋼餐碗、湯匙、杯子。
4. 哺乳媽媽與兒童，多吃深色蔬菜，水果，以及全穀類食物。

二 清除居家過敏原

1. 寢具使用防蟎套包覆。
2. 每日定期使用除溼機。
3. 處理地毯、厚窗簾布、布沙發、布抱枕。
4. 床單與絨毛玩具要溫水洗滌，或烘乾。
5. 去除壁癌與黴菌斑。
6. 使用 HEPA 醫療級濾網的空氣清淨機與吸塵器。
7. 定時清洗冷氣、電扇。
8. 去除居家蟑螂。

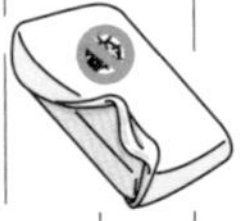

㊂ 養出腸胃道好菌

1. 親餵母乳是最佳選擇；若沒有母乳可用，可暫時選擇水解蛋白奶粉。
2. 生病時除非必要，否則勿使用抗生素。
3. 偶爾吃吃爸媽口水無傷大雅。
4. 四個月開始嘗試副食品，以少量多樣化為原則。
5. 時常出外踏青，跑跑農場，吃吃泥巴，接近大自然。

㊃ 避免破壞嬰兒皮膚屏障

1. 從出生開始清水洗澡，水溫二十八至三十二度。不一定要天天洗澡。
2. 勿用肥皂、沐浴乳、泡泡露、酵素等清潔產品。
3. 摸起來粗糙的皮膚要勤加保溼，但水嫩的嬰兒肌膚則不需要「預防性」保溼。
4. 嬰兒衣物應以清水洗滌，最多使用單純的水晶肥皂就可以。避免使用含有螢光劑、香精、添加物等等的衣物洗滌劑。

㊄ 其他良好生活習慣

1. 天天保持好心情，注意睡眠充足。
2. 時常帶出戶外運動，曬太陽享受維生素D。若口服維生素D，則每天400IU。
3. 夫妻感情和睦，減少家庭緊張氣氛。

CHAPTER 2

發作了，異位性皮膚炎

01 異位性皮膚炎照護新趨勢，與被邊緣化的無效醫療

從上一版《從現在開始，帶孩子遠離過敏》一書到這次的全新修訂版，中間相隔了八年。過去這些年，我一直想要更新本書「異位性皮膚炎」這個章節的內容，但苦無時間整理。隨著醫學日新月異，異位性皮膚炎的研究不斷推陳出新，許多舊的照顧方式被淘汰，新的藥物登場，還有異位性皮膚炎的基因檢測，都不在舊版書中，每次想到就頭皮發麻。

在本章的第一節，我先把上一版書中沒有提到的觀念，先做個整理，讓異位性皮膚炎孩童的家長，能先了解最新的異膚照顧趨勢。後面幾節我也幾乎全面更新，請大家照著新版的做法來照顧異膚孩子喔！

1. 先長後短，完整治療二至十六週：

異位性皮膚炎不像一般的兒童疾病，一般疾病可以藉由外觀、抽血指數、儀器測量來評估治療時間。但異位性皮膚炎不一樣，急性期的發炎發紅明顯可見，雖然擦藥後發炎消退，治療卻不能就此結束。因為在眼睛看不見的皮膚之下，免疫系統的混亂還沒平靜下來，乾燥的肌膚也還沒修復，病人常常因為太早停止治療，而很快的又進入發炎的惡性循環。

因此對於中度以上（見本章第四節的嚴重度分類）異位性皮膚炎的患者，要有「先長後短」的完整治療觀念：「先長」，代表先每日塗藥，即便泛紅發炎已退去，仍不要停止塗藥，持續約一至三週；「後短」，代表後期改為每週兩天（週六＋週日）塗藥，即便泛紅發炎已退去，療程從兩週至十六週不等。

「先長後短」完整治療，不僅能減少異膚復發機率，而且由下頁的圖示可知，先長後短的整體用藥劑量反而更低，長期來說副作用也更少。

異位性皮膚炎照顧新舊方式對照圖

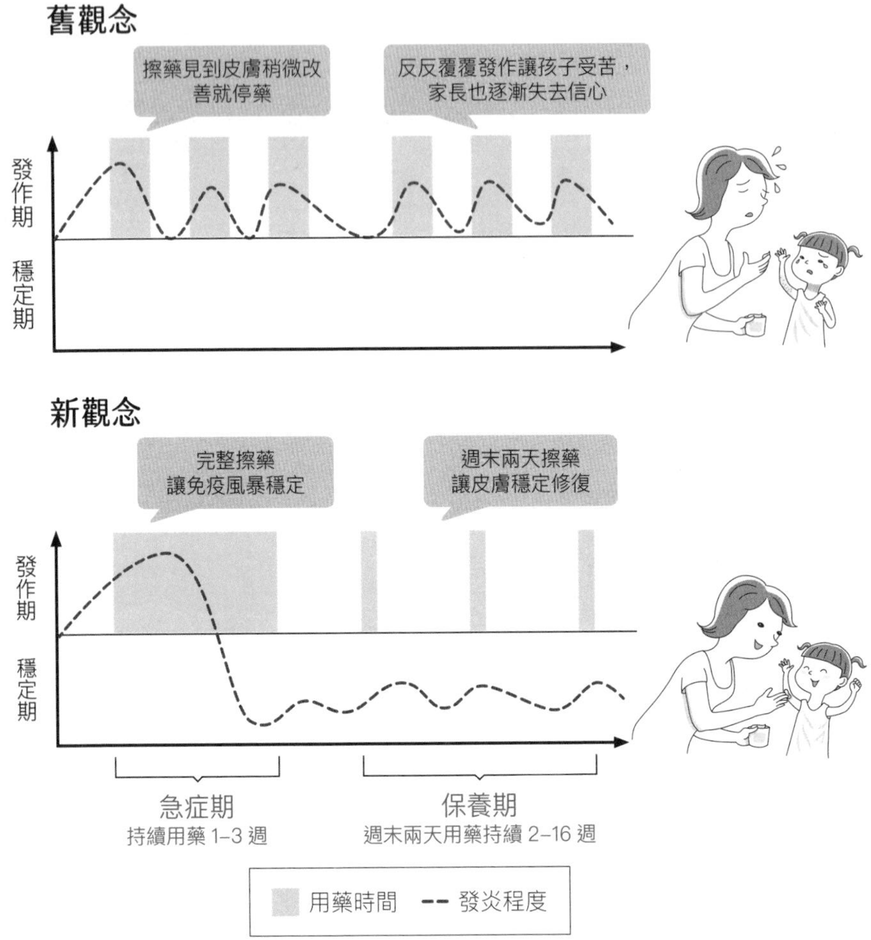

2. 類固醇藥膏，一天塗一次就夠了：

這麼多年來，我只要開類固醇藥膏，都是跟家長說一天塗兩次。但是根據最近的研究顯示，類固醇藥膏一天塗兩次，和一天塗一次，其實效果差不多，卻可以減少不必要的副作用，例如：塗久了皮膚變薄。

3. 鈣調磷酸酶抑制劑藥膏（TCIs）、磷酸雙酯酶四型抑制劑（PDE4）年齡下修，順位提前：

這麼拗口的中文藥名，容許我就用英文「TCI 藥膏以及 PDE4 抑制劑藥膏」來稱呼它們吧！以前有人稱之「非類固醇免疫調節劑」，但現在藥膏選項愈來愈多，這種稱謂恐怕將來會讓人感到困惑。

TCI 藥膏包括「普特皮軟膏」、「醫立妥乳膏」，它們不是新藥，早已上市二十年了。剛開始各國對這兩種藥膏，都設下年齡限制，並存有可能致癌的疑慮。但二十年後，發現上述的疑慮並不存在，因此可使用年齡也不斷下修，目前美國 FDA 通過可使用在兩歲以上幼兒，甚至許多文獻報告指出，「醫立妥乳膏」也可使用在三個月以上嬰兒。

▲醫立妥乳膏

▲普特皮軟膏

除了 TCI 藥膏之外，在二〇二一年衛生福利部食品藥物管理署（TFDA）也核准了非類固醇外用藥膏「PDE4 抑制劑」，可適用於年齡三個月以上的輕度及中度患者。

有了這兩種非類固醇藥膏武器，TCI 藥膏與 PDE4 抑制劑藥膏的好處多多，它既沒有類固醇的副作用疑慮，不會有皮膚變薄的問題，可以用在臉上、眼皮上，各種皮膚皺褶處，長期使用也不用太過擔心，在輕度的異位性皮膚炎患者，甚至可將順位提前，當作第一線的外用藥膏。

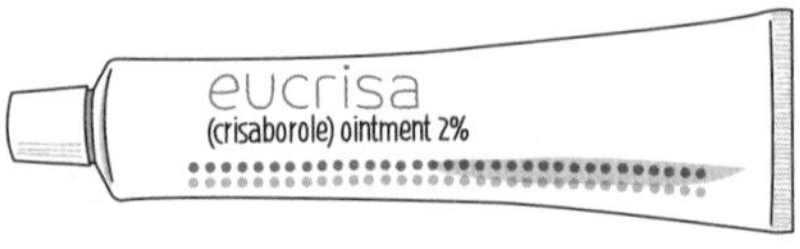

▲ Eucrisa 適健膚軟膏（PDE4 抑制劑藥膏）

4. 對於嚴重的異位性皮膚炎患者，毋須保留新武器：

目前有很多免疫抑制的新藥，治療嚴重異位性皮膚炎患者時，與其慢慢搓、慢慢磨，把病人的自信心和耐心都摧毀，不如精銳盡出，將發炎反應快速冷靜下來，新、舊武器都用上，之後再隨著病況改善逐漸減量。

5. 給病人魚，不如給他釣竿：

照顧異位性皮膚炎患者，重點不是讓病人每週來拿藥而是衛教。讓家人或病人認識自己的過敏疾病，理解照顧的ＡＢＣ步驟，根據病況即時調整用藥，這是現代異位性皮膚炎孩子家長必須學會的。

來，在本段開始之前，我們先下載一個APP，名字叫做PO-SCORAD：

▲ iOS APP：PO-SCORAD

▲ Android APP：PO-SCORAD

在這個APP中，你可以追蹤且瞭解孩子目前異位性皮膚炎的嚴重度。首先打開介面，輸入孩子的年齡等基本資料，接著就按照上面中文指示，一項一項輸入（參考下頁圖片說明）：

在勾選的過程中，如果不同部位的嚴重度不一，可以挑最嚴重的病灶，作為嚴重度的輸入依據。最後系統會給你一張總結，在畫面左下角，有一個PO-SCORAD分數，這分數就代表你目前異位性皮膚炎的嚴重度。一般來說SCORAD在二十五分以下屬於「輕度」，二十五至五十分屬於「中度」，至於五十分以上則是「重度」，處理方法當然就會大不同，在後面我會再詳細解說。

你也可以在最後一個畫面，讓APP幫你製作一張追蹤圖，將來和醫生溝通的時候也比較方便。

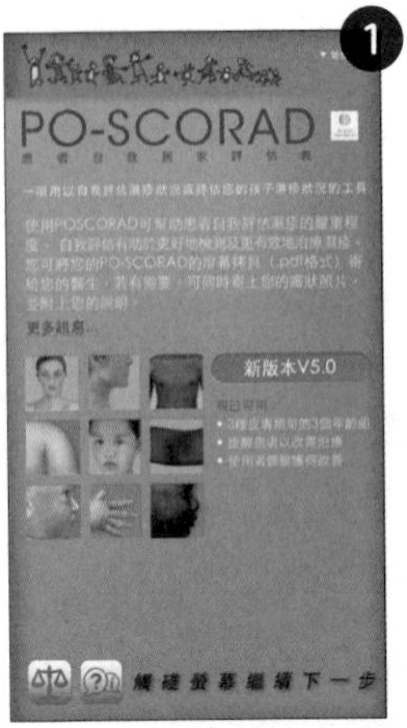

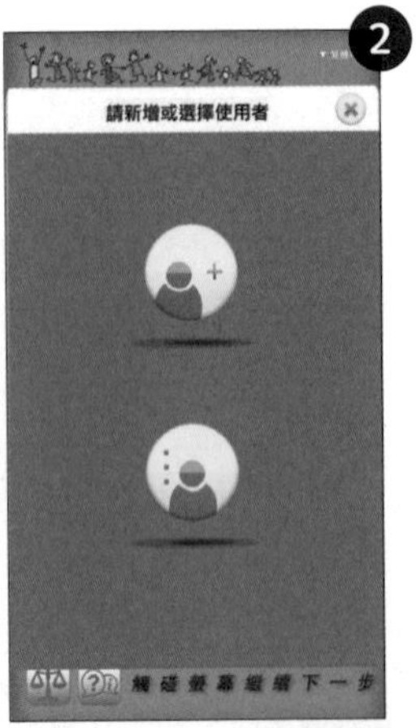

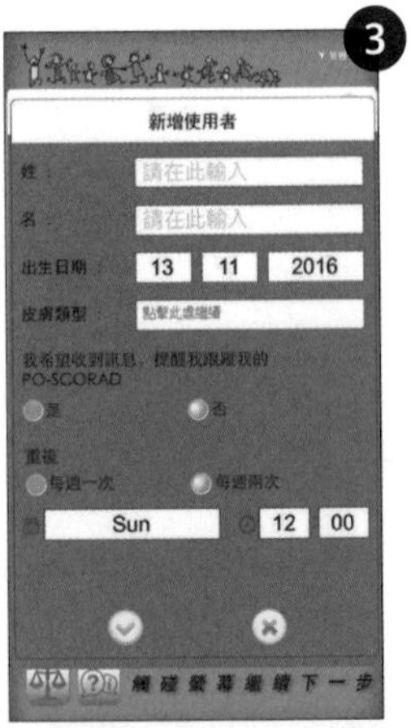

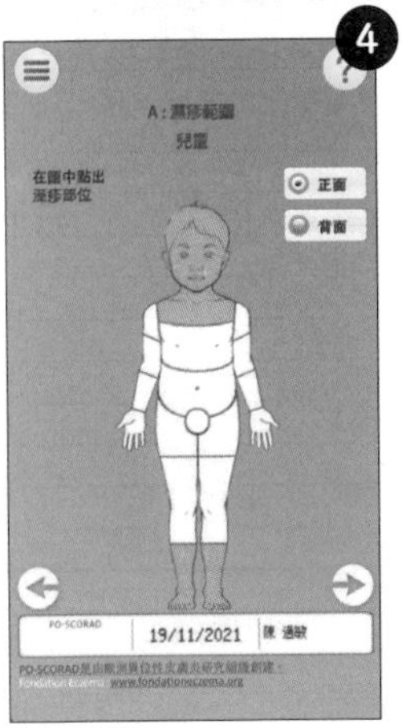

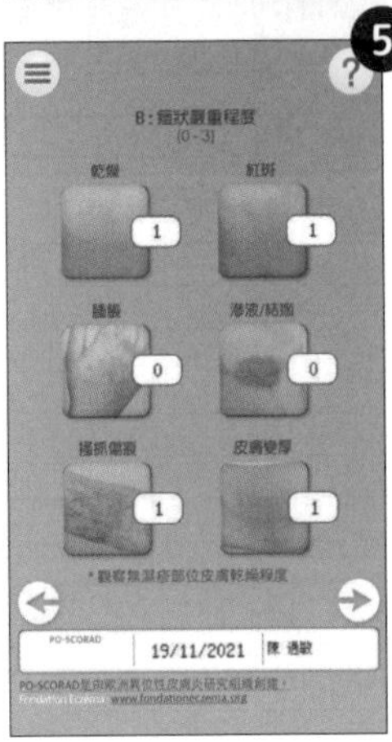

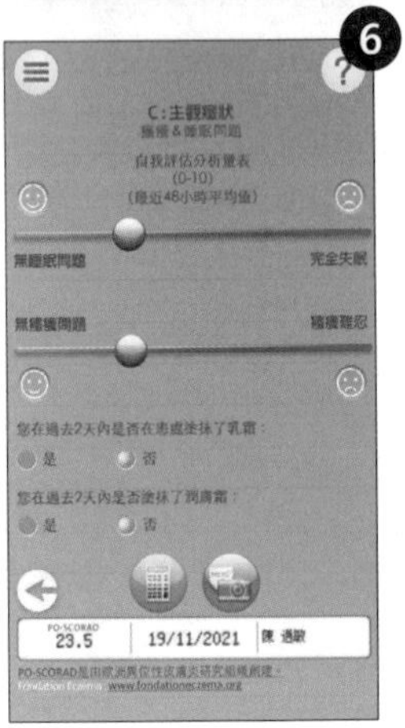

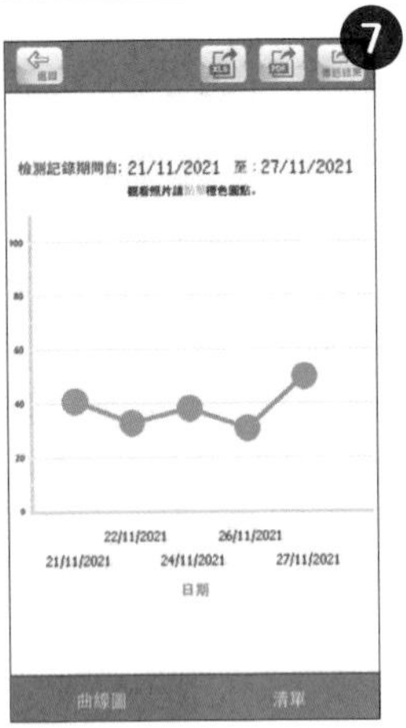

❶ 點選：觸碰螢幕繼續下一步，開始記錄。
❷ 選上面圖片，新建一個資料檔案。
❸ 輸入基本資料，並依需求選取。
❹ 選取正在發作部位。
❺ 依照部位症狀嚴重程度選分數。
❻ 最後系統會給你一張總結，在畫面左下角，有一個 PO-SCORAD 分數。
❼ 此 APP 可幫你製作一張追蹤圖，方便與醫生討論。

從主角變成配角的治療

剛才提到重要五項照顧異位性皮膚的新觀念，正所謂除舊布新，既然有布新，當然也會有除舊。這邊就來列舉三個舊觀念，從主角變配角的治療：

1. 口服抗組織胺：

過去我們會希望藉由口服抗組織胺藥物，來減少異位性皮膚炎患者的搔癢感，比如建議病人喝希普利敏液、勝克敏液等抗組織胺藥水。但由於異位性皮膚炎的癢感，並不是來自於組織胺的釋放，因此不只臨床研究看起來效果不彰，病人自己也常常跟我抱怨「到底要吃多久才見效」，其實是沒效。

三種狀況，可以繼續吃抗組織胺藥物：一、合併蕁麻疹發作；二、睡前吃藥很嗜睡，明顯減少夜間搔抓頻率；三、你的體質剛好吃了很有效，那就繼續吃吧。

2. 外用抗生素藥膏：

這一點我必須自首，因為在上一版的書中，我特別強調抗生素藥膏的輔助效果。雖然小病人擦完覺得很有效，但根據後續研究顯示，對於中度、重度的異位性皮膚炎患者，擦著擦著，細菌就產生抗藥性，之後再擦就沒效了。因此對我所照顧的病人而言，抗生素藥膏真的是從主角變成配角，甚至變成跑龍套的角色了。

3. 口服益生菌：

在上一章我有提到孕婦吃益生菌加上自然產，可以預防寶寶異位性皮膚炎的機率，但針對已經發作異位性皮膚炎的孩子，益生菌能夠當作治療的一環嗎？很遺憾，依據目前可信的研究看起來，口服益生菌不算對治療異位性皮膚炎有幫助。益生菌只是配角而非主角，而且若要服用，服用的菌量必須驚人的大（一百億隻／天）。

有趣的是，這幾年愈來愈多研究，是將好菌摻入「外用乳液」進行局部治療，效果還滿令人期待的。但是大家請不要隨便將家中益生菌混在乳液中塗抹，因為研究顯示有效的這些細菌，都不是市面上買得到的菌種，必須要具有對抗「大魔王——金黃色葡萄球菌」的能力才行。

因為這些研究成果都還沒有商品／藥品化，所以在這一版書中，我就不提菌種的名稱了。

其他非傳統，屬於都市傳說的治療

以下簡單列舉非傳統的異位性皮膚炎療法，根據有限的研究結果，供家長們參考：

1. **用軟水洗澡：**無效。
2. **直接在乾燥皮膚塗油：**大部分的食用油都無效，甚至有研究顯示，塗橄欖油會更嚴重。極少數研究中，可能有幫助抗發炎的兩種油，是葵花籽油和初榨椰子油。
3. **使用市售沐浴油：**效果不明或無效，不如洗澡後保溼。
4. **直接口服食用油：**效果不明或無效，包括口服魚油。

5. 吃各種維生素：幾乎都無效，除了口服維生素D之外。

6. 喝羊奶：無效。

7. 穿銀離子衣服：效果不明或無效。

我不是個鐵齒的人，對於上述這些「配角們」或「非傳統治療」，只要無害並非不可行。我的病人也都在正統醫療之外，輔助使用上述療法，只要沒有造成傷害，我絕不會禁止。只是，當照顧者預算有限，產品卻十分昂貴，經濟負擔太大，或者孩子已經哇哇叫喊著「不想吃」或「不舒服」的時候，家長應該懂得退場，不要再做無謂的堅持。

畢竟任何照護模式，還是要醫學證實「利大於弊」，才值得照顧者耗費寶貴的時間與心力。

02 異位性皮膚炎的成因：牆塌、外敵，和內亂

用三個詞簡單形容異位性皮膚炎的成因，那就是「**牆塌、外敵，和內亂**」。

皮膚是隔絕身體與外界的重要防線，角質層堆疊整齊，就像是古時候的城牆，隔絕了外來的敵人，包括：過敏原、化學物質，和物理刺激（第一章提到的過敏三元素）。而皮膚城牆內，就是重兵部署的免疫細胞，一旦有敵人翻牆入城，就一擁而上把壞東西趕跑。

所謂異位性皮膚炎，就像是一場惡性循環，是從城牆崩塌，也就是皮膚出現了細細小小，甚至肉眼看不見的裂痕開始。

異位性皮膚炎的三個進程

1. 牆塌：皮膚擋不住外敵

如果把皮膚比喻為城牆，那麼角質層就是磚塊，皮膚上的油脂則是水泥，札札實實的阻隔敵人在外。

異位性皮膚炎的寶寶，可能帶有一些易感的基因，加上錯誤照顧方式，讓角質層開始慢慢鬆垮，比如說：寶寶洗澡水溫太高，肥皂、沐浴乳、泡泡浴和酵素等洗劑的摧殘下，讓皮脂的保護蕩然無存，這道城牆磚塊、水泥都沒了，基本上也已經失去阻擋外敵的功能。

2. 外敵：空汙、過敏原、金黃色葡萄球菌

皮膚既然已經門戶洞開，外敵當然不客氣的侵門踏戶闖進來，先鋒部隊包括空汙、抽菸、燒香、點蚊香、劣質精油、揮發性有機化合物等。再來是惱人的過敏原，包括空氣中漂浮的黴

正常的皮膚

菌、塵蟎類蛋白質，或直接接觸肌膚的各種食物蛋白質，也都有機會滲透皮膚進入體內。

還有最糟糕的，是一堆壞細菌和病毒，直接在城牆裂縫中住了下來，尤其以金黃色葡萄球菌為主，又黏又難纏，趕也趕不走，還會釋放毒素讓病人發紅、發癢。根據研究，平常大約五至二〇%的正常人，可以在皮膚上找到金黃色葡萄球菌，但在異位性皮膚炎的病人身上，這比例卻高達九〇%！可以說金黃色葡萄球菌的最愛，就是異位性皮膚炎的病人，而且幾乎殺不乾淨，真令人生氣。

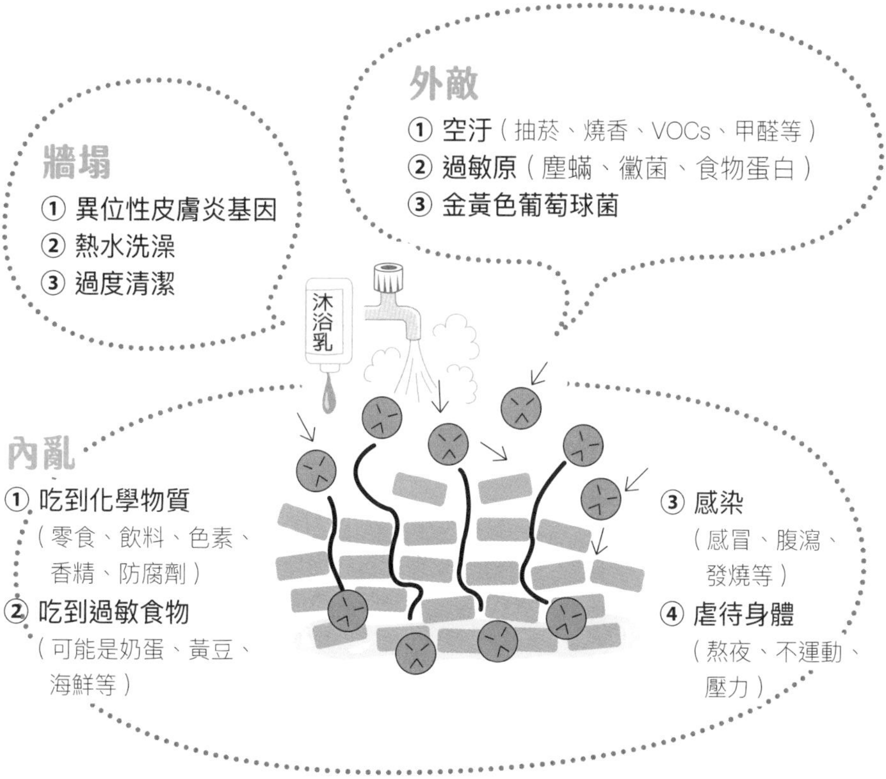

外敵入侵，免疫細胞當然要固守城池，這時候異位性皮膚炎的發作症狀就出現了，包括紅、腫、癢，甚至流湯流膿，而且反反覆覆，沒完沒了。

3. 內亂：免疫細胞殺紅了眼，甚至濫殺無辜

免疫細胞就像發了瘋的野馬，但如果找對方法，溫柔對待，它還是可以冷靜下來變溫馴的。但如果放任孩子吃化學物質（零食、飲料、色素、香精、防腐劑），或者剛好吃到致敏食物（可能是奶、蛋、黃豆、海鮮等），身體面臨感染（感冒、腹瀉、發燒等），或虐待身體（熬夜、不運動、壓力等），它又會失去理智而大發作。

異位性皮膚炎的年齡比例

異位性皮膚炎幾乎已經成為現代兒童的文明病，約二〇％的孩子曾經經歷過異位性皮膚炎，有些輕微或嚴重，範圍大或小。

大部分的異位性皮膚炎都是在嬰兒期就開始浮現，症狀輕者在兩歲前就穩

定下來，**七〇%的異膚患者在三歲前會好**，八〇%的異膚患者在八歲前痊癒，九五%在十八歲前搞定，僅五%會持續到成年人。之所以隨著年齡愈大，異膚會愈穩定的理由，是皮膚愈來愈厚，城牆愈來愈穩固，以及免疫細胞愈來愈成熟，也不再那麼容易發脾氣了！

但是，用錯方法照顧這些異位性皮膚炎的孩子，讓城牆永遠鬆鬆垮垮，永遠擋不住外敵，又或者讓免疫細胞一直發炎、一直生氣，久而久之，身體就會開始產生自體免疫的反應（注），異位性皮膚炎可能就成為終身的毛病了。所以，三歲前的兒童，絕對是治療異位性皮膚炎的關鍵時期，拖愈久愈不容易斷根。

注：所謂的自體免疫反應，就是人體的免疫細胞發了瘋，不只攻擊外敵，還會攻擊自己的肌膚。舉例來說，皮膚上的角質細胞，常會分泌一些角質蛋白來串連彼此，由於一般人的皮膚很完整，因此這些角質蛋白長期在「塞外邊疆」，和皮膚底層的免疫細胞不常相遇，彼此井水不犯河水。但如果異位性皮膚炎長期控制不好，肌膚時常抓破、流血、發炎，讓這些角質蛋白不斷滲透進入體內，伴隨著大壞蛋金黃色葡萄球菌一起出現，免疫細胞殺紅了眼，就順便把角質蛋白一起當做敵人攻擊了，一旦免疫細胞把自體角質蛋白當做敵人，皮膚就會反反覆覆的發炎，即使運動流汗都會過敏，疾病控制起來就加倍困難。

番外篇
「異位性皮膚炎過敏基因檢測」是什麼？

前文提到，異位性皮膚炎的起因第一步是「牆塌」，也就是角質層的鬆垮，讓外敵得以輕易的入侵。而近幾年醫學研究發現，有一種稱為絲聚蛋白（Filaggrin，或簡稱 FLG）的基因缺陷或突變，會導致角質層功能缺損，讓皮膚的保溼度在出生時就下降，進而引起嬰兒皮膚乾燥與皮膚炎。這就是坊間所謂「自費異位性皮膚炎過敏基因檢測」，最主要篩檢的基因缺陷。

當然，事情也沒有這麼簡單，因為 FLG 的突變位點非常多，有些突變比較無傷大雅，也有些突變會讓整個角質層乾到不行，因此這些基因檢測公司，要挑選其中哪幾個突變位點來做成「套餐」，也是一個大考驗。同時以目前的醫學進展而言，醫生也很難從篩檢的結果，去換算未來罹患異位性皮膚炎的機率。只能說如果 FLG 基因有缺陷，那麼未來中重度異位性皮膚炎的機會，的確比沒有基因突變的孩童來得更高。

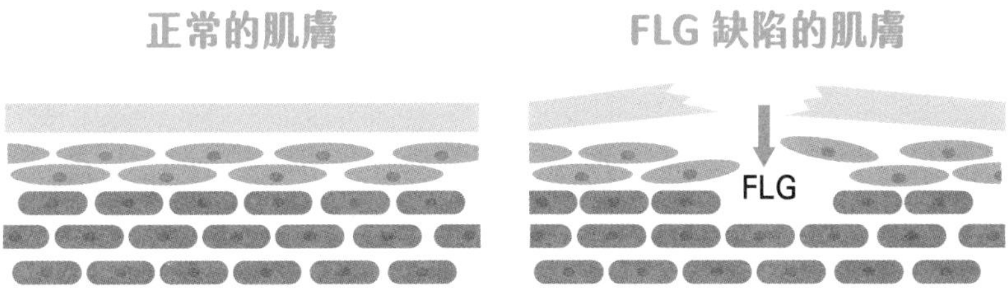

FLG 基因缺陷還有另一層代表意義，就是 FLG 陽性的異位性皮膚炎寶寶，未來進展到過敏氣喘，再進展到過敏性鼻炎的「過敏三部曲」機率，會比沒有 FLG 基因的異位性皮膚寶寶，高出三到六倍的機率。

總而言之，自費的異位性皮膚炎過敏基因檢測，並非一翻兩瞪眼的「判決」，即便結果全都陰性，也不代表可免於異膚，而其中一、兩項 FLG 基因突變，也不等於將來就會演變為中重度的異膚，或者成為過敏氣喘與過敏鼻炎的患者。只能說 FLG 基因缺陷的寶寶，在先天條件上，會比其他嬰兒來得更需要被照顧，但只要方法正確，還是可以健康快樂長大！

03 異位性皮膚炎的症狀：先乾、再紅、然後癢

嬰兒的異位性皮膚炎，很常跟其他皮膚問題混在一起而不易分辨，比如說脂漏性皮膚炎、嬰兒痘痘、毒性紅斑等。尤其是脂漏性皮膚炎，通常發生在「有長毛的地方」，包括頭皮、眉毛、耳朵上，咖啡色痂皮雖然摸起來粗粗的，但這並不是異位性皮膚炎。

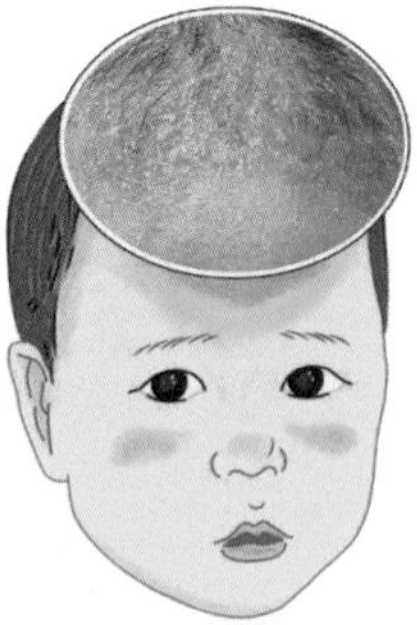

▲ 嬰兒脂漏性皮膚，並不是異位性皮膚炎

異位性皮膚炎的特徵：先乾、再紅、然後癢

異位性皮膚炎的第一步，是皮膚摸起來乾燥，這是此疾病的第一個警訊。皮膚乾燥到某個程度，就會開始「裂」，我自己在看嬰兒皮膚的時候，有兩個見微

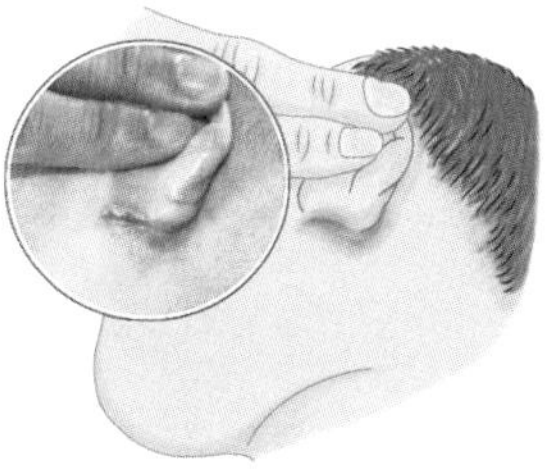

▲ 耳垂下裂

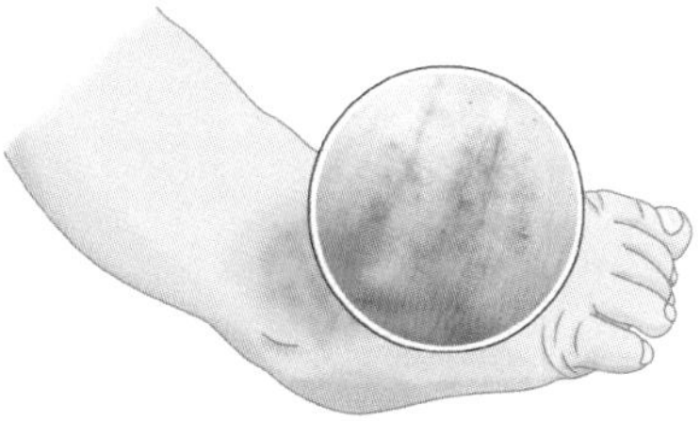

▲ 腳踝乾裂

知著的部位跟大家分享，一個是「耳垂下裂」，一個是「腳踝乾裂」，是滿典型的初期異位性皮膚症狀。

接下來乾燥好發的位置，通常是臉頰，然後手肘、手腕、胸口肌膚等處。如果乾燥部位沒有積極處理，肌膚就會開始發炎，泛紅，就像下頁兩張示意圖一樣。

有發炎，就會癢，當寶寶開始晚上睡不安穩，腳搓來搓去，或者較大幼兒會搔抓患處時，就一定要認真處理啦！由於搔抓會讓皮膚進一步的被破壞，發炎更嚴重，甚至把細菌帶進傷口，愈來愈難處理，所以必須儘早找醫生接受治療。

提醒大家，**脂漏性皮膚也是可以和異位性皮膚炎共存**的！因此如果頭皮有合併異位性皮膚炎，需要保溼，要塗藥，都不要忘了頭皮這個部位，執行方法都是一樣的。

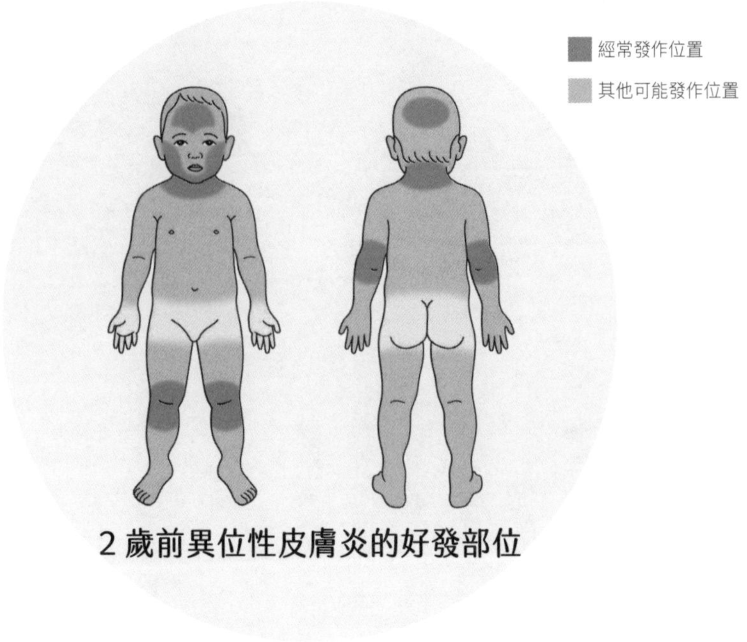

2 歲前異位性皮膚炎的好發部位

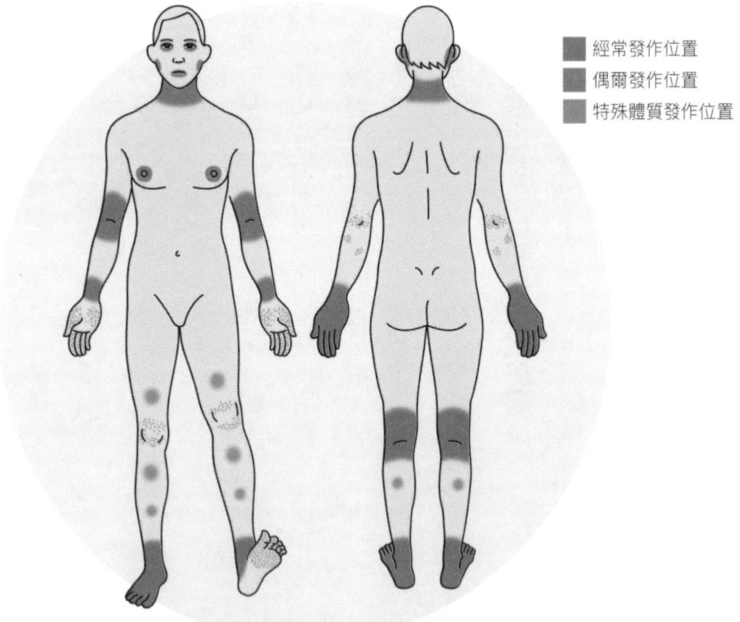

2 歲後異位性皮膚炎的好發部位

以下表格給大家參考，在不同年齡發病，會有不同型態的異位性皮膚炎：

發生年齡	部位	自動改善	其他過敏	性別傾向
3個月大～2歲	臉頰、頭皮、頸、關節伸處、軀幹（腋下和胯下尿布區不會有）	六〇～八〇％	過敏三部曲（過敏氣喘，過敏鼻炎）	無
2～20歲	關節屈處（俗稱四彎風）、嘴唇周圍、手腕	不易	過敏三部曲（過敏氣喘，過敏鼻炎）	無
12～60歲	頭頸、眼周圍、關節屈處、手掌	不易	無	女性
大於60歲	關節屈處以外的乾燥肌膚	不易	無	無

金黃色葡萄球菌、腸病毒、疱疹病毒來搗蛋

「金黃色葡萄球菌」是異位性皮膚炎患者的夢魘，帶有此菌的患者如果放任乾、紅、癢而不處理，常常會有大範圍的泛紅，抓破皮的地方還會流湯、流膿，慘不忍睹。

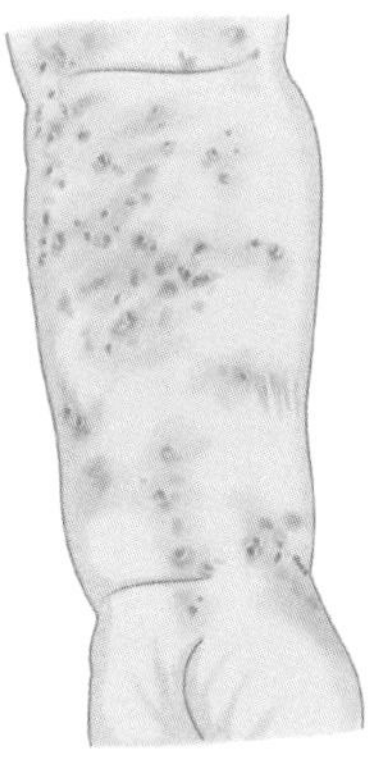

▲ 疱疹性溼疹（在異位性皮膚炎患者身上，蔓延開來的疱疹病毒）

除此之外，有很多病毒感染，在異位性皮膚炎的孩子身上會特別嚴重，比如說腸病毒、疱疹病毒、傳染性軟疣病毒等等。一般孩子可能只會併發局部疱疹性咽喉炎、手足口症等，但異位性皮膚炎的孩子若控制不佳，會引起全身性的病毒疹，讓治療變得困難而複雜。

放任皮膚搔抓，抓到流血，就會破壞角質層，此時身體為了即時把城牆堵住，讓角質層像丟沙包一樣，快速亂堆亂疊，暫時是擋住了外敵入侵。但這一場混亂，把末梢神經也搞毛了，所以病人覺得癢，又再搔抓，抓到流血，好不容易堆疊的角質層，又再被抓出一個洞。

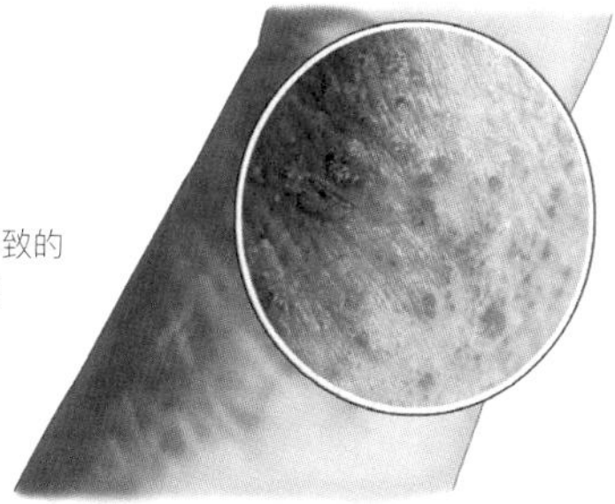

▶ 反覆搔抓導致的苔蘚化皮膚

久而久之，肌膚根本沒有時間把「沙包」移除，無法規規矩矩的蓋上磚塊水泥，皮膚上亂七八糟堆了這些角質，皮膚變厚，皮紋變深，整個就像樹皮一樣，我們稱之為苔蘚化（Lichenification）。

苔蘚化肌膚要回到正常，需要數個月的時間，盡全力止癢、抗發炎、避免搔抓，讓皮膚將厚厚的「沙包」移除，給角質細胞時間，札札實實的鋪水泥與蓋磚頭，停止惡性循環。

異位性皮膚炎與注意力不集中

異位性皮膚炎不僅是過敏三部曲的第一部，若放任搔抓不積極治療，影響嬰幼兒時期睡眠時數，未來增加**注意力不集中過動症**機率，竟可高達一六．八三倍！

異位性皮膚炎治療計畫

總而言之，不論您的孩子目前處於上述哪一個階段的異膚，都可以和你的醫師討論治療計畫，執行**「外中內＋止癢」的三加一計畫**：

1. **外：減少外敵入侵**，降低空汙，外來過敏原和細菌。
2. **中：加強肌膚照護**，修復裂痕，重建肌膚屏障。
3. **內：阻止發炎反應**，飲食調整、情緒穩定、使用抗發炎藥膏。
4. **止癢：別讓肌膚二次傷害**，溼敷、冷敷、口服或外用止癢藥。

下一節開始，我們就根據這些文字內容，依照不同年齡，不同嚴重度，來擬定治療的計畫吧！

04 根據不同嚴重度的治療計畫

現在請先拿起手機，將第一節提到的 PO-SCORAD APP 叫出來，幫孩子的異位性皮膚炎打個分數。根據 SCORAD 分數的高低，我們分為嚴重異位性皮膚炎（SCORAD > 50 分），中度異位性皮膚炎（SCORAD 25-50 分），輕度異位性皮膚炎（SCORAD < 25 分）。根據您孩子的嚴重度不同，我們的治療計畫大致會以下表來進行。

用藥的部分，我們下一章節再討論。本節先介紹下頁圖表中最底層藍色那塊，**「外中內＋止癢」三加一計畫**，我將平常居家照護該做的事項，逐一跟各位解釋清楚。

異位性皮膚炎的治療計畫

嚴重異位性皮膚炎持續發作從沒好過 SCORAD > 50 分	建議住院治療，接受口服或注射免疫抑制劑
中度異位性皮膚炎反覆發作 SCORAD 25–50 分	預防性一週擦兩天藥膏（使用 TCI、PDE4 抑制劑，或中強度類固醇藥膏）＋每天溼敷兩次
輕度異位性皮膚炎短暫發作 SCORAD < 25 分	發作時擦類固醇藥膏或 TCI 藥膏、PDE4 抑制劑
用藥之外，每天該做的事：「外中內 + 止癢」3+1 計畫	外：除螨、除黴、除空汙 中：保溼乳液，低溫洗澡 內：拒絕零食，減少壓力 止癢：冰敷，溼敷，用藥，低濃度漂白水浴

參考文獻：Wollenberg A, et al. J Eur Acad Dermatol Venereol (2018)

⋆ 皮膚上金黃色葡萄球菌感染嚴重時，可額外加上外用或口服抗生素治療。
⋆ TCI 藥膏、PDE4 抑制劑或類固醇藥膏的介紹，請見 P.101
⋆ 溼敷的方法，請見 P.154
⋆ 用藥之外的 3+1 計畫清單，請見 P.140

外：降低空汙、外來過敏原、化學物質和細菌

在第一章我已經介紹，暴露在化學物質中，會將體內的「過敏基因」打開，因此異位性皮膚的嬰兒，更不能生活在有空汙的環境中。家中若有一手菸、二手菸、三手菸、拜拜燒香、蚊香、各種精油、化妝品香水、家具裝潢產生的甲醛與揮發性有機化合物（VOCs）等，能杜絕就趕快處理。空氣汙染嚴重的紫爆日，請關緊門窗開空調，尤其在都市中，戶外的空氣並不見得更健康。

空氣品質若無法盡善盡美，可使用 HEPA 等級空氣清淨機來加強。在選購空氣清淨機時，資訊欄會有一項 CADR 值的指數，代表這台清淨機「多有力」。一般將臥房的坪數乘上二十五，大約就是你所需要的 CADR 值。比如說，八坪大的房間，空氣清淨機的功率至少要 CADR = 8×25 = 200 以上，甚至更高一些才夠力。

除了空氣中漂浮的化學物質之外，接觸嬰兒肌膚的乳液、沐浴乳，還有洗嬰兒衣物的洗衣精，都可能潛藏過敏原和化學物質。洗澡請用清水，或使用不含香精、無泡泡、異膚專用的沐浴乳，洗嬰兒衣物請用水晶肥皂。任何香噴噴的嬰兒

油、香香的乳液、香香的洗衣精，或含有酵素成分的用品，都不適合。國外曾經有研究發現，**含酵素洗衣精**會殘留酵素在衣物中，而酵素本身就是蛋白質，穿在身上慢慢就誘發皮膚過敏，請戒之慎之。至於低濃度的漂白水，是可以使用的。

一歲前的異位性皮膚炎寶寶，對塵蟎、黴菌、動物皮屑等，過敏原反應還沒那麼劇烈，因此對一歲之前的異膚寶寶，我通常會先督促家長處理空氣品質和化學物質。但如果家長想未雨綢繆，預防體質進展為過敏氣喘與過敏性鼻炎，也是可以超前部署。

空氣中過敏原的控制，在上一章我已詳細解釋過：將家中的壁癌、黴菌、塵蟎等等降到最低：一天一次，人不在房間時定時除溼，將溼度降到三十五％以下；孩子進房間前，再把除溼機關掉，或者設定溼度回升到五〇至六〇％。人進房間後，別讓溼度降太低，以免孩子因為空氣乾燥，又開始抓癢（除溼機的挑選原則，在第一章已經介紹過）。

一般床墊、枕頭、棉被，都應該使用防蟎套全罩式包覆（有關防蟎套的選擇，詳見 P.250）。例外情形是如果是睡木板床、睡很薄的嬰兒床、使用可整件送洗的薄被，這些輕材質直接丟洗衣機「洗脫烘」即可，就不需要再額外套上防蟎套。

除此之外，冷氣濾網和電風扇葉在頻繁使用的季節，更要每週洗淨；冷氣機本體也容易發黴，建議每二到三年送廠清洗，或請專業人員到府清洗。

中：加強肌膚照護，隨時保溼，溫水泡澡

1. 保溼產品：

當皮膚發炎受傷過後，角質層混亂如剛被轟炸過的堡壘，需要休息、重建、整理。如果把角質層比喻為牆磚，保溼產品就像是水泥，積極的塗抹，不僅可以鎖水止癢，還可以封死角質間的空隙，不讓細菌黴菌輕易的滲透進來。研究顯示，保溼防護做得勤快，可以減少五〇%的類固醇藥物使用，因此勤擦乳液／乳霜／乳膏，絕對是照顧異位性皮膚炎孩子最重要的動作。

有關保溼乳液／乳霜／乳膏的挑選原則，以及如何搭配溼敷的細節，我在第一五〇頁會詳細介紹。先讓大家有個概念，就是保溼產品有分等級，最油、最鎖水的膏狀產品叫做乳膏（Ointment），沒有那麼油、水分多一些的叫做乳霜

（Cream），會像液體流動的則是乳液（Lotion）。一般來說愈乾燥的皮膚，會選擇愈黏稠的保溼產品，但購買的共同原則，是聞起來不可以香香的，也就是無謂的添加物愈少愈好。

摸起來晶瑩剔透的水嫩肌膚，不需要預防性的保溼，只需針對摸起來乾燥，有明顯皮紋的部位，每天至少塗兩次乳霜。**特別乾燥的區域，可以先塗一層清爽的乳液，再敷上乳膏**。保溼產品並不是藥品，因此使用頻率可以從一天兩次，提高到一天無數次，只要摸起來感覺粗粗乾乾，就立刻塗抹。理論上大範圍的中度異位性皮膚，一整罐兩百毫升左右的乳霜，應該在一個月內就使用完畢。但凡事過猶不及，若保溼過了頭，有可能會堵塞毛孔，產生熱疹，因此還是必須拿捏一下分寸，可以跟你的兒科醫師討論。

使用保溼產品的時候，有幾個注意事項：

1. 塗抹的手要先洗乾淨。
2. 順著寒毛的方向塗抹，不要逆毛而上，容易發炎。
3. 雖然我用「塗抹」來描述保溼，但正確來說應該是「輕敷」、「輕拍」，不建議「搓揉」。

4. 使用保溼產品，請和藥膏（TCI、PDE4 抑制劑藥膏或類固醇）相隔一小時之後再塗抹，先後順序不限。

5. 洗澡後保溼，事半功倍。

若正確的敷上保溼產品，孩子卻抱怨「刺刺的」，主要的原因還是發炎尚未控制穩定，請同時配合醫師治療，擦抗發炎藥膏。少數人會對乳霜中的某些成分特別敏感，如：Sodium lauryl sulphate（SLS）或尿素（Urea），可以找其他的產品試試看，避開上述的成分。

2. 泡澡：

有些專家認為，泡澡會將皮膚的油脂沖掉，讓異位性皮膚更乾；但另一派說法是泡澡可以把水帶入角質層，而且適當的清潔，也可以減少肌膚上的細菌數量。二〇二〇年美國一篇隨機對照研究，終於給了我們比較肯定的答案：**每天泡澡兩次，每次十五至二十分鐘，對皮膚比較好**，經過兩週之後，SCORAD 平均竟可以下降二十一．二分！

不過泡澡可不能隨便亂泡，太熱的洗澡水，的確會傷害肌膚，反而讓發炎更厲害，孩子感覺更癢。泡澡的注意事項如下：

1. 洗澡溫度為二十八至三十二度，請用溫度計測量水溫，即便是嬰兒也應以同樣標準。我在某些醫學文獻中，甚至看到不可超過三十度的建議，以台灣的文化而言，我想三十二度應該已經是底線了，別再自己調高。
2. 在沒有髒汙的前提下，用清水洗澡就可以，不需要用肥皂、沐浴乳、泡泡浴、洗髮精。
3. 在有髒汙、異味、或有皮膚泛紅的期間，可以使用無香精、沒有泡泡的低敏洗劑，減少細菌滋生。洗劑並不是標注「異位性皮膚炎專用」就安全無虞，還是要聞一聞，搓一搓，確定沒有香精與泡沫，比較能夠安心使用。
4. 泡澡中與泡澡後，都不要用毛巾搓皮膚，輕輕拍乾水分即可。
5. 用軟水洗澡：無效。泡澡搭配油脂：無效。
6. 十五至二十分鐘出水之後，拍乾，立刻塗抹保溼產品，把水分鎖在肌膚內。如果剛好需要擦藥，也可以在出水之後患處立刻塗藥，不需擦藥的部分塗乳液。中度以上的異位性皮膚，可搭配溼敷治療（P.154）。

有人擔心洗澡水溫度攝氏二十八至三十二度，不會著涼嗎？大家可以閱讀拙作《發燒免驚！搞懂流感、腸病毒，小兒生病不心慌》（親子天下出版），可放心這樣的水溫不可能著涼。如果剛好寒流來，天氣寒冷，只要在浴室開個暖氣，或事先用熱水暖一暖浴室，水溫還是不可超過三十二度。

另外特別提醒有關洗手的問題，由於很多手部異位性皮膚炎的孩子，因為頻繁用肥皂洗手，愈洗愈乾，常常抓到破皮，甚至流湯流膿。當然可以要求洗完手立刻用保溼乳膏護手，但期待孩子每次都做到，真的是太困難了！我的建議是，**不如改用低濃度次氯酸水乾洗手來替代，以避免皮脂的破壞。**

內：阻止發炎，飲食調整、情緒穩定、使用抗發炎藥膏

1. 抗發炎藥膏：

正如同我在第一章所解釋，過敏疾病並不單純是局部的敏感疾病，而是全身的免疫系統混亂。異位性皮膚炎之所以被稱為「異位」，代表發炎的源頭可以是

身體任何地方，但病灶發作的部位卻在「異於原始位置」的皮膚上大爆發，這就是「異位性皮膚炎」名詞的由來。

有些發炎的原因，我們實在擋不住，比如說病毒性感染，這種時候只能乖乖擦 TCI、PDE4 抑制劑藥膏或類固醇藥膏，讓皮膚的發炎症狀冷靜下來。舉例來說，很多孩子一感冒，異位性皮膚炎就發作，這實在不能怪家長沒照顧好，因為剛好這個年紀的孩子，本來就在蒐集各種呼吸道病毒，別自責或沮喪，擦擦藥讓發炎病灶趕快過去就好了。

三歲之前，家長千萬不要排斥使用 TCI、PDE4 抑制劑藥膏或類固醇藥膏，放任發炎反應不斷失控。發炎若長期置之不理，未來產生皮膚的自體免疫反應，反而面臨一輩子擦不完的藥。如同本章第一節的介紹，TCI、PDE4 抑制劑藥膏和類固醇藥膏若在剛發作時就使用，能迅速讓皮膚發炎停止。遵照醫囑持續治療一段時間再停藥，後續復發機會低，用藥的總量反而下降。總之，TCI、PDE4 抑制劑藥膏和類固醇藥膏，是照護三歲之前異膚寶寶重要不可或缺的一環，如何適當使用，我在下一章節內容會跟大家分享（詳見 P.142）。

2. 飲食：

剛出生三個月之內，就異位性皮膚炎大發作的嬰兒，通常我會把牛奶蛋白從飲食中完全去除，改用「高度水解奶粉」餵食。高度水解奶粉又稱為全水解奶粉，跟一般市售部分水解奶粉不同，必須要在醫療通路才能買到，而且其味道不是很好，因此**若不是大發作的嬰兒，一般情形是不需要走到這一步**。

至於母奶寶寶出現異膚，在上一章裡我已經提醒，哺乳媽媽千萬別吃喝「化學物質」，零食、飲料、食品添加物別碰，動物性脂肪也少吃一點。還有，當寶寶已經四至六個月，趕快給寶寶吃副食品，少量多樣化，跟著大人吃！

對於異膚大孩子的飲食原則，跟哺乳媽媽一模一樣，那些需要「拆包裝、插吸管、開罐子」的加工食品都別碰，但各種天然的原型食物則不用加以禁止。並不是說天然的食物就不會誘發異位性皮膚炎，只是每個孩子可能誘發的食物都不同，比較科學的方法，應該是做「飲食記錄」。

當孩子異位性皮膚炎發作的時候，把二十四小時內吃過的所有食物，鉅細靡遺的記錄在一張紙上，記得要包括食物的來源，比如說某一品牌的食物，或某

一家菜市場的攤位。然後將這張紙放在抽屜裡，下次萬一又再過敏，就再記錄一次，並且把上次抽屜裡的飲食記錄單拿出來比對，有時候就會發現蹊蹺。比如說平常吃鮭魚沒事，但「某一家店所賣的魚不新鮮」，吃他們家的就會過敏。以這種「試誤學習」的方法，找尋食物過敏原，比任何抽血檢查都敏銳！

容我再囉唆一句：零食不戒，異膚不止，請大家一定要遵守，拜託拜託。

3. 情緒穩定

當一個人因為焦慮、壓力大，或睡不飽等，也會誘發異位性皮膚炎。有許多研究都發現，兒童若在嚴厲教養的家庭，或者氣氛不佳的慢性壓力環境中成長，異位性皮膚炎也容易發作，因此如何心平氣和的陪伴孩子，成為異膚家長重要的功課之一。如何讓父母重拾養兒育女的自信，可以參考拙作《安心做父母，在愛裡無懼》（親子天下出版）。

異膚的孩子能不能**運動**？當然可以，而且運動能舒緩神經，讓發炎反應下降，長期而言對體質是一大加分。運動前、中、

後，準備大量的冰毛巾，定時冰敷降溫，讓皮膚不至於因為太熱而發癢。運動後沖個冷水澡或泡澡，然後立刻上保溼產品或抗發炎藥物，這些做法都可以讓異位性皮膚炎的患者，慢慢養成規律的運動習慣。

止癢：溼敷、冷敷、口服或外用止癢藥

異位性皮膚炎最麻煩的症狀，就是癢。有時候癢感合併紅疹，有時候明明皮膚已經大致上修復，卻還是搔癢難耐，結果使勁一抓，皮膚又出現傷口，細菌又跑進身體，發炎風暴又起，導致惡性循環。雖然有許多臨床研究，都想找出有效止癢方法，但很遺憾的，並沒有單一種方式適合所有患者，仍必須多方嘗試，找到屬於自己的止癢妙招。

下頁的圖表可以給所有的家長一個方向，根據不同的癢度，執行不同程度的止癢計畫：

異位性皮膚炎發作的止癢計畫

嚴重程度的癢
隨時都在抓
癢度 8–10 分

→ 注射或口服免疫抑制劑

中等程度的癢
會影響睡眠
癢度 5–7 分

→ **有紅疹**
＋ 以 TCI、PDE4 抑制劑藥膏或類固醇藥膏溼敷
＋ 低濃度漂白水泡澡

無紅疹
＋ 以保溼乳溼敷

輕到中等程度的癢
不影響睡眠
癢度 1–4 分

→ ＋ 定期擦 TCI、PDE4 抑制劑藥膏或類固醇藥膏
＋ 含止癢成分的乳霜保溼

一般止癢

1. 每天使用乳液／乳霜保溼
2. 冰敷，或敷含薄荷涼感止癢膏
3. 維持在穩定、涼爽的室內溫度
4. 用無皂性、無香精、無泡沫、微酸性、異膚專用沐浴產品，溫涼水洗澡
5. 睡前吃褪黑激素 3mg

癢度評分：0 分完全不癢～ 10 分癢到受不了

1. 一般止癢：

任何程度的搔癢，都可以用這些相對無害的方式來轉移注意力或止癢，包括：每天使用乳液／乳霜保溼（可以將其中一罐放在冰箱，拿出來使用時更冰涼），用冰寶或冰毛巾局部冰敷（尤其是運動後必須），塗抹醫師處方的涼感止癢膏，開空調維持室內涼爽（二十三度左右），以及使用無皂性、無香精、無泡沫、微酸性、異膚專用的沐浴產品洗澡。

另外，根據台大江伯倫教授的研究，兒童在睡前服用褪黑激素三毫克，四週後可大幅減少夜間搔癢。褪黑激素在台灣店家買不到，但是在美國並非處方藥，是健康食品，可透過網拍賣家代購。

2. 癢度一至四分：

當一般止癢措施無法減少搔癢時，不要猶豫，是時候開始塗抹 TCI、PDE4 抑制劑藥膏或類固醇藥膏了。有些醫師會將類固醇藥膏與保溼乳霜混合使用，但請注意：**將藥膏與乳霜混合使用時機，僅止於這種輕度、無紅疹的止癢目的，有紅疹時，千萬不可以任意稀釋藥膏**。

你也可以選擇進階含有止癢成分的保溼產品，例如添加 Pramoxine，Polidocanol、神經醯胺、薄荷、燕麥膠體、維生素 D3……等物質。雖然這些成分經過小型研究證實可減少搔癢，但證據力還不足，且每個孩子使用之後感受不同，還是要親自試試看才知。

3. 癢度五至七分：

此時癢感已經影響睡眠，若能早晚各溼敷一次，可有效降低搔癢。有紅疹時，先塗抹 TCI、PDE4 抑制劑藥膏或類固醇藥膏，之後再進行溼敷；若無紅疹，則以單純保溼乳霜／乳膏溼敷。溼敷的步驟是先上藥膏／乳膏，接著包覆一層微溼的繃帶，最後包覆乾燥的繃帶或長襪，一天兩次，每次一至二小時即可。有關溼敷的施行細節，我在一五四頁會詳細描述。

對於中等程度搔癢加大範圍紅疹的孩子，還有另一個有效止癢的方法，就是低濃度漂白水浴。上一版《從現在開始，帶孩子遠離過敏》書中，我已經提過低濃度漂白水的實證研究，施行方法如下：將大浴缸放滿水（肯定

超過一百公升），倒入含氯漂白水一百毫升（約四個瓶蓋的量，每瓶蓋二十五毫升），這樣漂白水稀釋的比例是一千倍，攪拌均勻後，就可以跳下去泡了。

如果家裡是中型浴缸，漂白水就減為兩瓶蓋。請使用最便宜、最單純的氯系漂白水喔！不要用價格較高的氧系漂白水，那就無效了。還有別忘記，水溫不可高，攝氏二十八度就可以，有傷口的話，剛泡下去會有刺刺的感覺，所以請先用藥膏把傷口養好，再來執行低濃度漂白水浴，一週兩次，每次五到十分鐘。

4. **癢度八至十分：**

當上述做法都無法遏制搔癢問題時，就該找醫生使用注射或口服的免疫抑制劑了。

最後提醒，正如本章一開始所述，**口服抗組織胺**（如：勝克敏液、希普利敏液等）**的止癢效果，對異位性皮膚炎患者並不顯著**，如果你也覺得沒幫助，其實可以先暫停。但如果是針對蕁麻疹，抗組織胺藥水就可以有效止癢；另外，第一代抗組織胺吃了會嗜睡，有家長覺得孩子睡前吃一劑，昏昏沉沉可以減少搔抓，這兩種情況既然利大於弊，就繼續服用吧。

計畫	備注
1. 戒菸、去除燒香、蚊香、油煙等等家中燃燒物質。必要時使用 HEPA 空氣清淨機。	別太嚴格，避免同住家人不睦，可使用 HEPA 等級空氣清淨機補強。
2. 停止使用劣質精油、人工香氛劑、美髮產品、濃郁的香水與化妝品。	可使用 HEPA 等級空氣清淨機補強。
3. 拒絕劣質家具、裝潢或兒童玩具等等可能含甲醛味道的來源。	購買有 CNS 認證標章的家具和玩具。
4. 定時清洗冷氣、電扇。	二至三年要清洗一次冷氣機體與管路。
5. 下載「環境即時通」，當空汙指標亮紅燈時，盡量別帶孩子出門。	紫爆時請緊閉門窗，開空調。
6. 洗澡請用清水，或使用不含香精、無泡泡、異膚專用的沐浴產品。洗嬰兒衣物請用水晶肥皂。	
7. 去除壁癌黴斑，人不在房間內時使用除溼機。	注意除溼機的功率要夠強。

計畫	備注
1. 遵照醫囑擦 TCI、PDE4 抑制劑藥膏或類固醇藥膏，達到有效的抗發炎作用。	隨著嚴重度不同，用藥療程也不一（詳見 P.124）。
2. 哺乳媽媽與異膚兒童，吃天然的食物，勿吃盒裝加工食品。	拒絕零食、飲料、麵包、起司等任何帶有色素、香精、防腐劑等人工添加物的食品。
3. 三個月前就嚴重異膚之配方奶寶寶，可暫時改換高度水解蛋白奶粉。	
4. 四個月開始嘗試副食品，以少量而多樣化為原則。	若擔心某食物過敏，可做飲食記錄找出凶手。
5. 出外接近大自然，運動，曬太陽，製造維生素 D。	日曬不足者可口服維生素 D，每天 400IU。
6. 家庭和睦，減少親子緊張氣氛。	情緒緊張容易復發。

異位性皮膚炎「外中內＋止癢」3 ＋ 1 計畫 check list

計畫	備注
1. 每天清水泡澡兩次，每次十五至二十分鐘，水溫二十八度至三十二度。勿用肥皂、沐浴乳、泡泡露、酵素等清潔產品。	泡澡後立刻使用保溼產品或溼敷。
2. 平常隨著皮膚乾燥程度定時補擦乳霜／乳膏。	過猶不及，使用太油的保溼產品，有時候反而會長出一大片熱疹，可與醫師討論調整使用量。
3. 乳霜乳膏聞起來不能有香味，成分愈單純愈好（詳見 P.127）。	標榜「異位性皮膚炎專用」不一定就安全，仍須自己聞聞看。
4. 改用次氯酸水乾洗手，替代肥皂洗手。	手部有明顯髒汙時，仍須以肥皂溼洗手，洗後立刻擦保溼乳霜／乳膏。

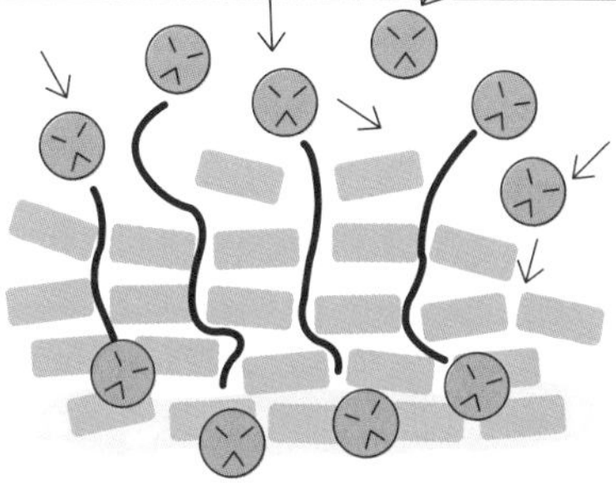

皮膚中

止癢

計畫	備注
1. 積極用乳液／乳霜保溼。	冷藏後使用可加強止癢。
2. 用冰寶或冰毛巾局部冰敷。	運動後必須使用。
3. 塗抹醫師處方的涼感止癢膏。	一歲以下避免使用到含樟腦或薄荷成分的藥膏。
4. 開空調，維持室內涼爽。	有些寶寶甚至需要降到室溫二十度才能安穩，大人蓋棉被。
5. 睡前吃 3mg 褪黑激素。	需國外代購，台灣買不到。
6. 癢度一至四分：遵照醫囑擦 TCI、PDE4 抑制劑藥膏或類固醇藥膏。	單純為了止癢目的，可以將藥膏與乳霜混合使用。
7. 癢度五至七分：每天溼敷兩次，每次一至兩小時。	有紅疹時塗 TCI、PDE4 抑制劑藥膏或類固醇藥膏溼敷；無紅疹時用乳霜 / 乳膏溼敷。
8. 癢度五至七分：低濃度漂白水浴。	有傷口時避免。
9. 癢度八至十分：注射或口服的免疫抑制劑。	Dupilumab 是目前最有效的藥物。
10. 口服抗組織胺，對異膚止癢效果不佳。	如果為了嗜睡的目的，或者有急性蕁麻疹發作時，依然是很好的武器。

05 輕度、中度、嚴重異位性皮膚炎的用藥指南

當您的孩子開始出現中等程度的搔癢，或紅疹已經發作時，適度的使用抗發炎藥膏，肯定是必要的選項。

抗發炎藥膏的重點提示：

1. 適度使用抗發炎藥膏，減少泛紅與搔癢，可避免孩子未來成為慢性的異膚患者。
2. 抗發炎藥膏種類包括三大類：類固醇藥膏、TCI 藥膏、PDE4 抑制劑藥膏。
3. **輕度異位性皮膚炎**，SCORAD < 25 分，僅短暫發作的孩子，可於發作時

擦擦藥即可。

4. **中度異位性皮膚炎**，SCORAD 25-50 分，反覆發作的孩子，需先每日擦藥（持續一至三週），之後預防性擦藥一週兩天（可持續三個月），才算完整治療。擦藥後搭配溼敷治療，效果更佳，一天兩次，每次一至兩小時。

5. **嚴重異位性皮膚炎**，SCORAD 長期 > 50 分，持續發作從來沒安穩過，可先使用抗發炎免疫抑制劑。

該擠多少藥膏？

抗發炎藥膏的使用單位是「大人指尖」（Fingertip unit，FTU）。家長可以根據下表，不同年齡不同部位的皮膚面積，來估計需擠出多少藥膏量。

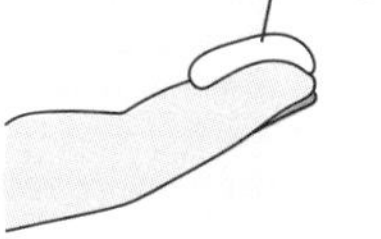

✓塗抹不同部位需擠出的藥膏量（單位：大人指尖 FTU）

年齡	全臉和脖子	手臂加手掌	小腿和腳	胸和腹	臀
3 個月	1	1	1.25	1	0.5
6 個月	1	1	1.5	1.5	0.5
1 歲	1.5	1.25	2	1.75	0.5
1 歲半	1.5	1.5	2	2	0.75
2 歲	1.5	1.5	2	2	1
3 歲	1.5	1.75	2.5	2.5	1
4 歲	1.75	2	3.5	2.75	1
5 歲	2	2	3.5	3	1
7 歲	2	2.5	4.5	3.5	1.5
10 歲	2.5	3	6	4	1.5
12 歲	2.5	4	7	5	2

*塗抹藥物的區塊若只有臉沒有脖子，那就將藥量除以二即可

該擦哪一種抗發炎藥膏？

1. **質地：**

- 和保溼產品一樣，抗發炎藥膏也分為：最清爽的乳液（Lotion）、最常使用的乳霜（Cream），以及偏油膩的乳膏（Ointment）。
- 乳膏黏膩，但可造成密封的效果，**藥效最為持久**，通常嚴重的病灶會選用它。
- 頭皮用藥時，怕頭髮沾黏，通常會使用乳液。一歲以下嬰幼兒，頭髮濃密不容易擦藥時，也可以試著將抗發炎藥膏，混合無香精的保溼乳液敷在頭皮上。

2. **強度：**

- 類固醇藥膏分為七個等級（Class I-VII），第一級為**超強效**，第二、三級屬於**強效**，第四、五級為**中效**，第六、七級為**弱效**。
- **超強效**、**強效**這兩類級別的類固醇藥膏，一般不建議塗在臉上、腋下、胯下，以及一歲以下的嬰兒。至於一歲以上的孩子，在皮膚比較厚的地方，則可以使用。

- TCI 藥膏和 PDE4 抑制劑藥膏，強度大約等於中效類固醇藥膏，三個月以上幼兒就可使用。
- 下面這張圖大致勾勒出**不同部位可使用的藥膏強度**：

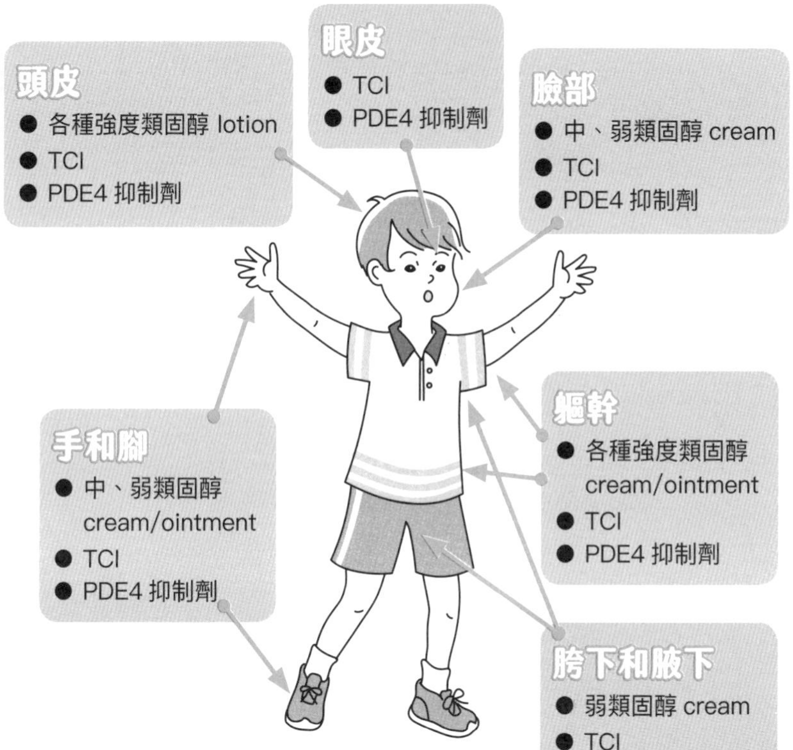

PDE4 抑制劑藥膏：磷酸雙酯酶 4 型抑制劑
TCI：Topical calcineurin inhibitors 外用鈣調神經磷酸酶抑制劑

中度異位性皮膚炎的用藥舉例：

兩歲的阿賢已經反覆發作異位性皮膚炎好幾個月了，SCORAD 幾乎都維持在二十五至五十分之間，發作的部位都是在腳踝，膝蓋窩和手指頭。由於他的皮膚已經反覆發炎而變厚，因此我請他早上擦 TCI 類的「醫立妥乳膏」，晚上擦中效的類固醇乳膏（Ointment）如膚潤康益福乳膏，每天擦持續三週。

這三週的過程，我也邀請他每次擦完藥，可以溼敷一至兩小時（詳見 P.154），盡量能做到就執行，如果做不到也別灰心，一天一次也很好，隔天做也很棒。當然，上一節所列舉的「外中內＋止癢」三加一計畫，都必須達成。

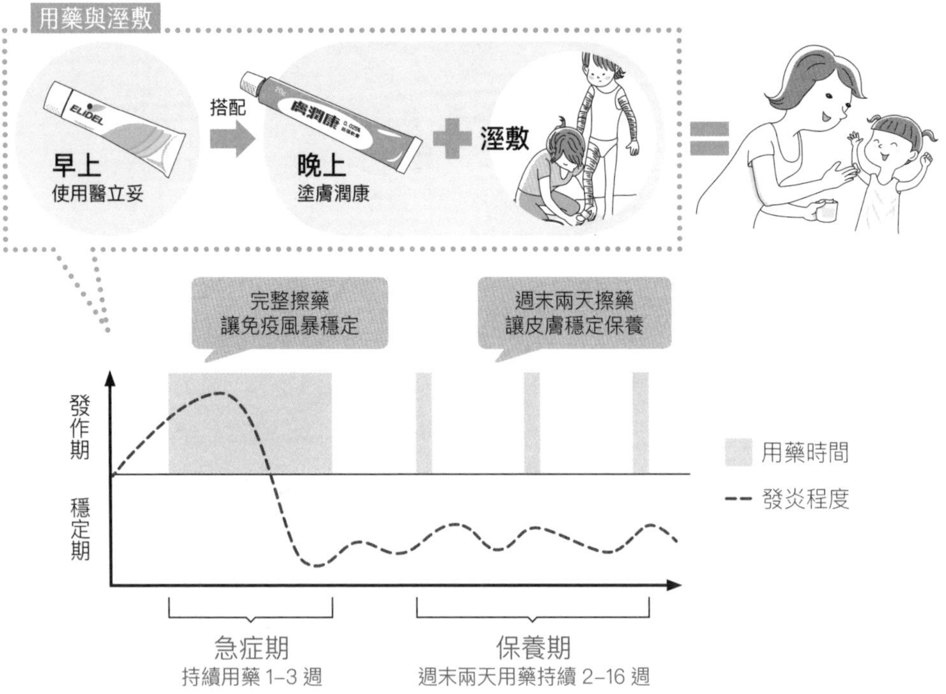

三週之後，阿賢的腳踝，膝蓋窩，和手指頭皮膚狀況非常的穩定，但仔細觸摸，還是稍感乾燥。接下來三個月，我請他開始以穩定保養方式擦藥：在週六、日兩天，各擦一次 TCI 類的「普特皮軟膏」，擦藥後搭配溼敷。至於週間五天，雖然沒有擦藥，繼續維持一天兩次用保溼乳霜／乳膏溼敷。

就這樣完整治療將近四個月，阿賢的 SCORAD 持續都 < 25 分，算是大功告成，為了穩定保養的用藥也可以停止。當然，隨著不同年齡，不同部位，這樣的療程並非一體適用，只是舉例給大家一個參考。

嚴重異位性皮膚炎

嚴重異位性皮膚炎持續發作，SCORAD > 50 分，大範圍發炎的病人，有時候需要先給混亂的免疫系統一個當頭棒喝，先接受免疫抑制劑的治療，等狀況穩定再降階處理。

目前異位性皮膚炎免疫抑制劑最令人振奮的進展，不外乎是 Dupilumab 這支藥物了。Dupilumab 是針對細胞上一種叫做 IL-4Rα 受器的單株抗體，其詳細機轉我就不贅述了，總之，它可以將異位性皮膚炎患者體內失控的細胞激素全部降低，讓症狀有明顯的改善。

此藥於二〇一七年美國FDA核准用於中度至重度成人異位性皮膚炎，二〇一九年下修至十二歲以上青少年，二〇二〇年五月再度下修至六歲以上兒童，同時另核准用於慢性鼻竇炎合併鼻息肉及中度至重度氣喘。目前台灣此藥的適應症只開到十二歲以上，還沒有比照美國FDA開放兒童，不過由於此藥副作用極少，將來應用在台灣兒童重症患者應指日可待。

✔ Dupilumab 在兒童及青少年嚴重異位性皮膚炎患者的效果

	症狀改善率（EASI-75 指數）	
組別 ＼ 年齡	6 ~ 11 歲	12 ~ 17 歲
100 ~ 300mg 隔週注射	67.2%	42%
300mg 四週注射一次	69.7%	38%
安慰組	26.8%	8%

JAMA Dermatol. 2020;156(1):44- 56.
J Am Acad Dermatol. 2020; 83(5):1282

✓ 兒童常用的抗發炎藥膏

	強度	學名	英文商品名	中文商品名（舉例）
超強效	1	Clobetasol propionate	Cleosol Cream	克立舒乳膏
強效	2	Betamethasone dipropionate/salicylic acid	Betasalic Oint	倍立克軟膏
	2	Fluocinonide	Topsym Lotion	妥膚淨洗濟
	2	Fluocinonide	Topsym Cream	妥膚淨乳膏
	2	Desoximetasone	Chemin Ointment	去敏軟膏
中效	4	Fluocinolone acetonide/Neomycin	Flucort-F Oint	膚潤康益福軟膏
	4	Mometasone furoate	Elisone Cream	安膚樂乳膏
	4	Nystatin/Neomycin/Gramicidin/Triamcinolone	Mycomb Cream	美康乳膏
	5	Betamethasone valerate/Fradiomycin sulfate	Rinderon VA Cream	臨得隆維膚水溶性軟膏
	5	Fluticasone propionate	Fluticosone Cream	全佳膚乳膏
	TCI	Tacrolimus Ointment	Protopic®	普特皮軟膏
		Pimecrolimus Cream	Elidel®	醫立妥乳膏
	PDE4i	Crisaborole	Eucrisa®	適健膚軟膏
弱效	7	Hydrocortisone/Urea	Ureson Cream	優膚松乳膏
	7	Hydrocortisone	Hydrocortisone	吉舒乳膏

＊數字代表類固醇藥膏強度

06 保溼產品與溼敷

保溼的產品分為：Ointment（乳膏）、Cream（乳霜）、Lotion（乳液），愈後者愈不油，但保水效果愈差；反之愈前面效果愈好，但乳膏容易堵塞毛細孔，有時候會造成熱疹。這三種產品的優缺點和使用時機如下表：

對於一般異位性皮膚炎的孩子，入門款可以先用「乳霜 Cream」保溼，基本頻率是**早晚各一次**，但特別乾燥的肌膚，在冬天或冷氣房內，摸起來粗粗乾乾就要補擦，甚至每兩個小時就要補一次。中度以上異位性皮膚炎的孩子，一整罐兩百毫升左右的乳霜，通

清爽保溼產品的優點

夏天適用：
流汗的季節可讓乳液吸收更快。

臉部適用：
臉上不會看起來油膩膩的。

衣服和床單不會沾到：
媽媽洗床單很累。

黏膩保溼產品的優點

保溼效果更佳：
愈乾燥皮膚愈需要。

保溼時間更長：
降低照顧者的疲乏。

刺激性更低：
添加物極少，不易致敏。

常在一個月內就會使用完畢，這頻率才是比較合理的。

但每兩小時補乳霜一次，半夜還要爬起來補擦，對照顧者來說實在太累了，因此對於特別乾燥的區塊，可以選擇改用「乳膏 Ointment」來保溼，市面上的產品包括 Epaderm 修護膏，QV 修護膏，Aquaphor 修護膏，凡士林修護膏……等等乳膏產品，都可以試試看，用來拉長每次補擦的時間。

使用乳膏的最好時機，是在每日兩次泡澡之後。沒泡澡的時候，可以先擦一層「乳液 Lotion」，讓水分快速吸收之後，再把乳膏塗上去。

選擇乳霜或乳膏的要點：

1. 成分單純，至少聞起來一定不能有香精的味道。
2. 我很喜歡利用美國環境工作組織的 EWG Skin Deep 網站（www.ewg.org/skindeep），輸入所有成分查看有沒有不合格的成分＊。若屬於 EWG Skin Deep 網站的綠燈認證產品，更是直接輸入名稱就可查到，非常方便！可惜除了美國本土廠商之外，其他國家廠商通常不會送 EWG 認證，因此根據我的

▲ EWG 網站對皮膚產品受限制的成分表

▲ EWG 網站對皮膚產品禁用的成分表

＊ EWG 網站對皮膚產品禁用的成分表與受限制的成分表。

經驗，大部分情況都是「查無此產品」，只好自己動手慢慢找成分表。

3. 其實最好的保溼產品，就是孩子**願意使用**的保溼產品！畢竟產品再怎麼厲害，孩子不肯使用也是白搭，剛開始各種乳液都試試看，一定會找到適合你家孩子的保溼產品。

更多使用保濕產品方法與注意事項（詳見P.128）

溼敷五步驟

中度以上的異位性皮膚炎患者（SCORAD 25-50分），與中度以上程度搔癢的患者（癢感五至七分），除一般保溼之外，可以採取早晚再加強溼敷一次的方式，降低發炎與降低搔癢程度。步驟如下：

1. 泡澡之後，以毛巾將水輕輕拍乾，接著在異位性皮膚炎患部塗抹上藥物。如果是不需塗藥的日子或部位，則敷上有油膩感的乳膏。
2. 接下來用棉質紗布，或彈性繃帶，或貼身的純棉衣物，溫水浸溼後輕輕擰乾到溼透但不會滴水的程度。

3. 接著用這些溼紗布，完整覆蓋或纏繞已經敷藥或塗乳膏的患部，若使用貼身純棉衣物，則整隻手或腳套上去。

4. 接下來再用乾的彈性繃帶完整纏繞在最外層，或套上一件乾的貼身厚衣，避免溼氣滲透出來。總之這個步驟之後，整隻腳或手臂應該是「內溼外乾」就對了。（按：下頁圖的步驟四，左邊那張是彈繃，右邊是貼身厚衣，兩種做法都可以。）

5. 經過一至兩個小時的溼敷，拆掉所有繃帶，重新塗一層保溼乳膏，就大功告成了！

一天泡澡兩次，搭配溼敷兩次，對中度異膚與中度搔癢的孩子，絕對是最理想的頻率。但即便次數不到兩次，也毋須挫折沮喪，一天一次也很棒了，只要有做就有幫助。以前我有時候會鼓勵家長溼敷過夜，但有小規模的研究顯示這樣做並沒有額外的幫助，所以還是拆下溼敷後，塗乳膏，再去睡覺。

這邊舉例的溼敷部位只有手和腳，但厲害的家長，什麼部位都能溼敷！臉部也可以，頭皮也可以（纏起來好像小木乃伊），胸口也可以，網路上有許多創意包紮法，我在本書就不浪費篇幅了。

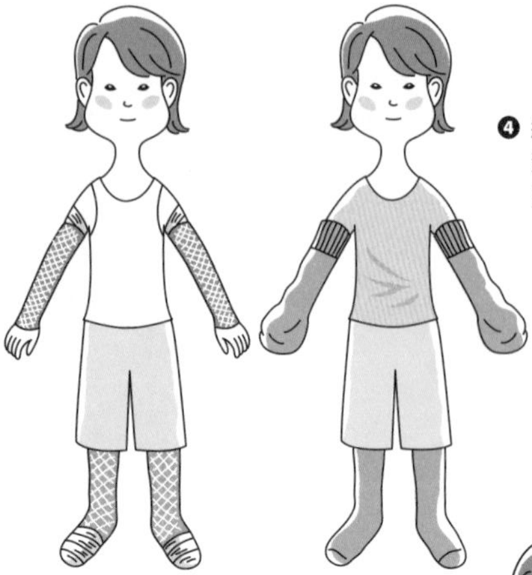

❹ 經用乾的彈性繃帶包紮完成，或穿上乾的貼身厚衣完成。

❺ 經過兩小時以上的溼敷，睡前取下紗布／溼衣，取下之後再重新塗一層保溼乳膏。

終極保溼絕招

終極保溼絕招，留給最嚴重的孩子使用，那就是「溼敷法」，每天早晚包裹兩小時，方法如下：

❶ 洗完澡之後以毛巾將水輕輕拍乾，接著在異位性皮膚炎的患部塗抹上藥物。

❷ 患部擦完處方藥或乳膏（比如說Epaderm，或是凡士林）。
接下來用紗布，或是貼身的純棉衣物，浸溼後輕輕擰乾，到溼透但不會滴水的程度。接著用這些溼紗布完整纏繞，或者把溼衣服穿在油油的患部外面，包括手、腳和身體等處。

❸ 接下來再用乾的彈繃再包紮一層，或者再穿一件乾的貼身厚衣，避免溼答答的到處滴水。總之，兩層步驟要讓患部「內溼外乾」就對了。

番外篇

結節性癢疹

異位性皮膚炎的孩子，有時候會合併另一種，同樣癢得要命的體質，叫做結節性癢疹（Prurigo nodularis）。在兩隻手臂、或小腿的伸側，長出一顆一顆硬結節，很癢很癢，通常會被孩子摳破↓流血↓結痂↓色素沉澱↓很癢↓摳破……無止境的循環。舊的癢疹反覆發作，新的結節又冒出來，到最後可能同時有數十顆癢疹輪流發作。

結節性癢疹也是一種身體的免疫失調，隨著流汗，蚊蟲叮咬，表皮受傷，氣喘發作，吃喝零食等等事件，就會莫名其妙的誘發出來，影響孩子的生活與睡眠品質。

結節性癢疹的治療，可以比照第四節的止癢計畫（詳見P.136），包括冰敷、保溼、擦類固醇藥膏、溼敷、低濃度漂白水浴等。因為這些癢疹的發炎部位通常在手腳等皮膚比較厚的部位，我會挑選超**強效的類固醇藥膏**使用，相對弱一點的類固醇藥膏，止癢效果實在不太好。有些特別癢的結節，可以使用醫療級的麻醉藥膏，一天一次，但敷一小時後要把藥膏擦掉，不然藥物會吸收到體內。

飲食上的注意事項，還是老話一句：**零食不戒，搔癢不止**。我的病人只要戒掉加工食物，結節性癢疹幾乎都會改善。有少數的研究認為結節性癢疹和麩質不耐相關，試著不吃小麥製品（像是：吐司、麵包、饅頭、麵條、餅乾），或許也有幫助。

CHAPTER

3

食物過敏

嬰兒時期最常見的兩種過敏，除了異位性皮膚炎之外，另外一種就是食物過敏。嬰幼兒的飲食來源有三：母乳、配方奶、固體食物，從這三種來源可以找到大部分的過敏源頭。在本章我會跟各位分享「食物過敏」所表現的症狀，以及發生後的處理模式。

01 食物過敏的症狀，與預防的方法

說老實話，一般家長口中的「食物過敏」這四個字，其實在醫生的認知包括三種疾病：

1. **與 IgE 相關的急性過敏：**

來得快又急，吃完食物後數分鐘到兩小時內發生，症狀不見得是皮膚癢，也有可能是嘔吐、腹瀉，或者咳嗽、呼吸喘等（見下頁表：食物過敏常見症狀）。

2. **與 IgE 無關的慢性過敏：**

可能發生在吃完食物兩小時後，甚至兩、三天之後才出現症狀。這一類的慢性過敏變化多端，必須抽絲剝繭慢慢與醫生合作，才能找到凶手。常見的例子包括：喝奶的寶寶血絲糞便，厭奶、拒食、哭鬧，以及慢性的口水疹、肛門周圍紅疹等。

3. **其實不算是過敏：**

比如乳糖不耐。嬰幼兒大部分的乳糖不耐都是暫時的，等腸胃道修復之後，就可以恢復接受含乳糖的食物。

食物過敏的成因與預防方法

一歲之前嬰兒的食物過敏，與較大兒童很不一樣，家長在心態上也要先做好調整。

一歲前嬰兒的食物過敏，通常是處於過渡期，免疫系統還能被慢慢訓練，產生所謂的「耐受性」。讓身體逐漸認識食物之後，

食物過敏常見症狀		
	與 IgE 相關的急性過敏	與 IgE 無關的慢性過敏
皮膚症狀	• 急性蕁麻疹 • 急性紅癢 • 血管性水腫（嘴唇、眼皮、臉頰）	• 慢性紅癢 • 異位性皮膚炎發作
腸胃道症狀	• 嘔吐 • 腹痛 • 腹瀉	• 帶血絲糞便 • 肛門周圍紅圈（俗稱過敏圈） • 口水疹 • 厭奶、拒食 • 慢性腹瀉或便秘 • 嬰兒腸絞痛 • 體重生長遲緩
呼吸道症狀	• 揉鼻子、打噴嚏、流鼻涕、鼻塞 • 咳嗽、喘、呼吸困難	

未來再吃這些東西，會慢慢沒有症狀，只要不過量，通常就不用擔心。

但一歲以上的食物過敏，雖然仍有耐受性的機會，但有些孩子過敏嚴重，症狀難以忍受，加上過敏休克機率逐漸增加，最後通常只能採取「避開食物」的策略，飲食受限，頗為可惜。

當然，有一些食物像是「花生」，是無法產生耐受性的。花生過敏一旦被誘發，就幾乎一輩子不能再碰，除非經過特殊的治療（目前國外已經有減敏藥物）。花生過敏在緯度較高的外國人族群特別多，因此專家都強烈建議，在嬰兒六個月左右，就該讓他們嘗一點點花生製品。

台灣雖然花生過敏較少，但這也是為什麼在第一章強調，添加副食品要「**少量多樣化，跟著大人吃**」，在四到六個月開始嘗一口各種食物（包括奶、蛋黃、蛋白、魚、海鮮、黃豆等），最慢不要超過九個月，就是希望能減少未來生活的困擾。（見下頁表：食物過敏發生的可能原因）

單一食物吃太多，會誘發過敏症狀，最常見的食物就「配方奶」。很多嬰兒喝配方奶到大約三個月，開始厭奶、拒食、哭鬧、嬰兒腸絞痛，細問之下，很容易就猜到是牛奶蛋白喝太多導致。同樣的情境也會發生在需要副食品添加期，家長固執於添加單一食材，或不小心同一種食物吃很多，難免也會產生一些過敏的症狀。

因此，預防食物過敏的大原則，就是不要自做主張，擅自延後吃蛋、豆、魚、肉、堅果、水果等營養的食物。當寶寶出現食物過敏症狀時，採行抓大放小的原則：小過敏先休息幾天後再開始少量嘗試，大過敏才選擇避開不吃，大方向穩定後，再與兒科醫師針對細節做討論與修正。

異位性皮膚炎的寶寶，如果控制不佳，放任肌膚紅、癢、乾，也會讓食物分子從皮膚入侵，進而增加食物過敏機率。因此異位性皮膚炎的寶寶，一定要

食物過敏發生的可能原因	
理論	預防方法
1. 太晚開始吃過敏食物，錯過免疫耐受期	• 4～6 個月開始，少量多樣化接觸各種食物，不要延後吃雞蛋。
2. 單一食物給太大量，免疫系統受不了	• 喝水解蛋白奶粉。 • 單一食物不要連續吃很多天，或一次吃很大量。
3. 異位性皮膚控制不佳，沾到食物誘發過敏	• 嚴格控制異位性皮膚炎，不讓皮膚紅癢乾。
4. 腸道好菌太少	• 避免濫用抗生素。
5. 其他免疫調節	• 補充維生素 D。

藉由第二章的照顧方式，徹底與醫師配合執行。

與IgE相關的急性過敏處理方式：抓大放小原則

剛才提到與IgE相關的急性過敏，通常來得快又急，吃完食物後數分鐘到兩小時內發生，症狀不見得是皮膚癢，也有可能是嘔吐、腹瀉，或者咳嗽、呼吸喘等等。

如果只是產生局部的紅疹，嘔吐一次就沒事，或者腹瀉一次就痊癒，依照「抓大放小」原則，可以休息幾天，之後再少量吃看看。如果愈來愈改善，表示耐受性慢慢在建立；如果過敏愈演愈烈，也只好放棄，等寶寶一歲以後再說。

萬一真的發生大過敏，比如說全身發紅、大範圍蕁麻疹，嘔吐好幾次，或者腹瀉有血絲等，可以跟醫師討論，通常凶手都是「牛奶、雞蛋、黃豆、海鮮、堅果、小麥」這六種食物其一。如果是吃太大量，可以先暫停兩週，兩週後再吃一口看看。如果吃一口也大失敗，只好放棄此食物，等寶寶一歲以後再說。

至於與IgE無關的慢性過敏處理方法，我在後面的章節會一一介紹。

02 兒童食物過敏的七大迷思

你一定有聽過家人或朋友好心的勸告：「某某食物容易造成過敏，不要常給小孩吃。」是不是很耳熟？好多孩子因而被禁止吃海鮮、雞蛋，長毛的水果等等，只能吃清淡的澱粉配蔬菜，真是可憐！

一歲以上的孩子吃某種食物會大過敏，那避開此食物可能是正確的做法。但如果只是過度緊張，或對兒童過敏有錯誤的想像，那以下七個迷思就是回歸正軌的開始：

迷思一：搞錯機率

雞蛋的蛋白，是最常誘發過敏的食物，但兒童發生蛋白過敏的機率並沒有大家想像中的高，充其量大約只有一到二%左右。其他常聽到的過敏凶手，如：海鮮、花生和豆類等食物，則致敏機率都小於一%。

也就是說，以蛋白為例，全台灣一百位兒童當中，只有一位吃了蛋白會過敏，因此，有必要為了那一位過敏兒童，剝奪剩下九十九位孩子「吃」的權益嗎？就算爸爸媽媽本身蛋白過敏，也不見得會遺傳，唯有孩子親自嘗過才知，家長不需要先入為主。

迷思二：搞錯國家與人種

食物過敏也是有分國家與人種而有所不同的，舉例來說，美國的兒童很怕花生過敏，好萊塢電影也因此常常出現誤食花生醬之後，臉變成豬頭的劇情。然而在台灣，花生過敏卻非常罕見。除了跟人種有關之外，花生過敏跟高緯度地區花粉、種子過敏有關連，台灣相對較少。

還有一個例子就是「長毛的水果容易引起過敏」，有聽說過嗎？中獎的水果有奇異果、水蜜桃、紅毛丹等。然而根據台灣本土的研究卻發現，最常造成過敏的水果是：芒果、番茄、草莓、香瓜和橘子。咦？說好的「毛」呢？原來奇異果等食物，也是來自國外的資料，跟台灣本土過敏比例還是不同。

迷思三：搞錯兇手

比如說，有些寶寶吃了米精之後，身體長出疹子，媽媽憂心忡忡的問我：「孩子怎麼會對澱粉過敏呢？將來不是連米飯都不能吃？」但其實凶手不一定是米，可能是米精製品所添加的人工香料，或者是保存劑等造成過敏，而非食物本身的作用。此時若換成自己電鍋煮的粥，寶寶就沒有過敏現象，媽媽就可以鬆一口氣，繼續嘗試下一種食物了。

這種情形也常常發生在水果身上，有時候孩子並非對水果本身過敏，而是果皮外面殘留的農藥。換一家水果行，把水果皮清洗乾淨，有時候就沒事了。

迷思四：把病毒疹當成過敏

嬰兒時期常常會感染各種病毒，不定時也會長一些病毒疹。若不巧在發疹子同一天，孩子吃了一片香蕉，很可能媽媽就此認定孩子對香蕉過敏，而不敢再嘗試。

因此，除非真的是嚴重過敏，或經過醫師的臨床判斷，執行抽血證實過敏原，否則家長先別自做主張，把營養的食物打叉叉。一般輕微「疑似」過敏症狀，家長可以先暫停所懷疑的食物，大概停兩週之後，再少量嘗試一口。若連續兩次都出現同樣的症狀，嬰兒可等到一歲後再試吃，大小孩則可以延後一年再試。當然嚴重過敏的個案，或者花生過敏的個案，則千萬別再嘗試。

迷思五：搞錯「蛋白」二字的意義

「蛋白 egg white」是指雞蛋煮熟變白的部分，但是「蛋白質」是英文 protein，跟雞蛋沒有一丁點關係，乃泛指各種胺基酸組合而成的物質，廣泛存在於環境與食物中。

有家長諮詢，說他女兒吃「蛋白」過敏，可是新冠疫苗每一支成分都是「棘蛋白」，這樣是不是不能接種？我不禁啞然失笑。棘蛋白是一種 protein，牛奶蛋白也是一種 protein，塵蟎黴菌等過敏原也都是 protein，中文將 protein 翻譯為「蛋白質」或「蛋白」，的確讓非理科生容易誤會。

特此澄清：一般會造成過敏的塵蟎蛋白、黴菌蛋白、牛奶蛋白、疫苗的棘蛋白……等，指的都是「蛋白質 protein」，而非餐桌上的雞蛋蛋白。

順帶一提，即便是雞蛋過敏的孩子，現在也已經不是接種流感疫苗的禁忌了，流感疫苗可以打在雞蛋過敏的人身上，不用擔心。

迷思六：過度放大過敏的範圍

有些孩子只對牛奶蛋白過敏，家長卻自己放大解讀，主動把其他常見過敏食物統統封鎖，甚至把孩子的過敏性鼻炎、氣喘，統統歸咎在牛奶過敏上，這就有點超過了。或許有孩子對A食物過敏，也對B食物過敏，但沒有嘗試過，誰也不知道會不會發生。

呼吸道過敏（氣喘與過敏性鼻炎），大部分都與食物過敏無關，即便有關連，還是要經過醫師的評估或檢查才能定論。有些孩子因為呼吸道過敏，抽血檢驗過敏原，從頭紅字到尾，媽媽愁眉苦臉，魚也不行、肉也不行、蛋也不行、黃豆也不行，那要吃什麼？其實這些食物的過敏原當中，只有十分之一是真的會引起症狀的，剩下九成都已經產生耐受性，和呼吸道症狀無關。

迷思七：忽視可怕的化學添加物

別忘了過敏疾病最大的敵人，其實是人工食品添加物這個可怕的化學物質。

有些家長禁止孩子吃魚、吃蛋，卻放任他們喝飲料、吃麵包、餅乾或零食，這真是不可思議！

人工色素或是人工香料這些化學物質的魔掌，已滲透到孩子的飲食生活當中，影響層面之深之廣，幾乎到了難以撼動的地步。家長應該主動將家裡的零食清掉，並且與學校老師溝通反映，拒絕以零食做為獎勵孩子的誘餌。

最後給家長一個小提示，就是某些食物雖然會造成過敏，但是加熱之後就不會過敏了，比如說對蘋果過敏，但吃蘋果派卻是安全的。另外有些水果放太熟才吃會過敏，稍微青澀一點反而不會，都可以再多試幾次。人類的免疫系統非常的錯綜複雜，而且每個人又都是獨立的個體，很難找到一個適用於所有人的規則，只有自己去摸索、嘗試，才會找到最適合你孩子的食物。

番外篇

什麼是「免疫耐受性」?

前述提到，抽血檢驗顯示為過敏陽性的食物，吃下肚後卻沒有症狀，為什麼會這樣呢?小時候過敏的食物，長大卻慢慢可以接受，這又是什麼理由呢?這就要說到腸胃道免疫系統一個特別的機制，叫做「免疫耐受性」（immune tolerance）。

將免疫耐受性擬人化比喻

免疫耐受性，意思是孩子的免疫系統，對於少量多次，時常碰到的食物，逐漸產生不再過敏的保護機制的過程。用擬人化的方式形容，就像是媽媽每天給孩子吃雞蛋，漸漸的免疫細胞會告訴自己，媽媽天天給我吃雞蛋，表示這個營養對我很重要，我還是別再過敏了，乖乖的接受它吧。

當嬰兒的免疫系統第一次碰到食物蛋白時，有時候會使血清中「過敏抗體」（IgE）升高，並出現輕度的過敏症狀，這種情形並不少見，尤其牛奶、雞蛋、黃豆、小麥、海鮮、堅果等食物，特別容易產生。幸好腸胃道的免疫系統很聰明，利用自身「免疫耐受性」的能力，經過少量而頻繁的腸道刺激，久而久之，就被馴服了。雖然抽血看起來過敏抗體仍居高不下，但身體卻不會有任何不舒服的症狀出現，耐受性大功告成。

嬰兒四到九個月的「免疫耐受」黃金時期

免疫的耐受性對人體實在太重要了！還記得前面曾經說過，寶寶九個月之前是腸胃道免疫耐受的黃金時期嗎？在這年齡期間所接觸過的食物，幾乎都可以產生永久的耐受，一開始吃可能會有小小的反應，但少量多樣化嘗試之後，最終可減少未來過敏症狀的發作。反之，超過九個月之後，腸胃道免疫耐受能力就愈來愈差，舉例來說，嬰兒如果一歲之後才接觸到雞蛋，其發生過敏症狀的機率，是四個月吃雞蛋嬰兒的三倍之多！

免疫耐受性僅腸胃道有此能力

也因為食物有免疫耐受性的緣故，當孩子接受抽血做「過敏原檢測」，可能報告上會出現滿滿的食物過敏指數，但真實人生中，卻只有少數是禁忌。必須特別強調，**免疫耐受性只有在腸胃道會出現**，因此呼吸道、皮膚的免疫系統，就很難有耐受性產生。因此「過敏原檢測」項目中的塵蟎、黴菌、狗、貓等呼吸道過敏原，依然有絕對的參考價值。

03 母奶過敏找兇手

寶寶才一個月大，純母奶哺育，沒有其他症狀，食欲、尿量也正常，卻發現便便裡有血絲，難道是細菌感染？稍安勿躁，很有可能只是單純的母奶過敏，常常屬於是第一節所提到的與「IgE 無關的慢性過敏」。

大量單調的食物比較容易發生

哺乳媽媽可以先問自己兩個問題：第一，前一天有沒有「大量」的吃某一種食物？第二，是否「每天」都吃喝某一種食物，從未間斷？

比如說媽媽為了發奶，每天都喝蛤蜊湯，那兇手可能就是蛤蜊。或是昨天親戚送來一箱的鮮蝦，全家大快朵頤了一餐，隔天寶寶糞便有血，那兇手應該就是蝦子。

如果不是很確定是不是上述的那一種食材，可以先暫停兩週後，再試吃一次。吃完寶寶糞便又有血絲，那就賓果了；反之若暫停吃喝後仍有症狀，表示凶手另有其他食物。

抓到凶手之後，媽媽只要避開那一種食材，就可以繼續安心的哺乳了。要注意的是，將來寶寶添加副食品的時候，這一種曾經引起過敏的食材，可能要小心嘗試，並不是說不能吃，而是剛開始要非常少量，謹慎觀察。

極少數母親找不到過敏原

極少數的母乳媽媽，實在找不到讓孩子過敏的原因，但是暫停哺乳後，寶寶的症狀就改善了，比如說異位性皮膚炎進步，或腹瀉的症狀消失等。這種情形雖然不多見，但即便真的發生了，媽媽也不要太灰心沮喪，改用配方奶，並在四到六個月給予副食品即可。養兒育女是一場馬拉松，不需完美主義，沒有母奶也是一百分的好媽媽。

04 嬰幼兒脹氣吐奶：牛奶蛋白過敏常常是元凶

「醫生，我的寶寶喝配方奶，之前都好好的，兩個月大之後卻常常哭，肚子鼓鼓的，好像有脹氣的狀況，是不是該換其他牌子奶粉看看呢？」

我相信上述的狀況，對許多家長一定不陌生。有些寶寶是從出生就喝配方奶，也有些是從母奶哺乳轉換到配方奶，一段時間之後寶寶卻開始出現腹瀉、脹氣、溢吐奶、不明原因哭鬧、甚至皮膚出現紅疹等等問題。當症狀發生時，很多家長首先想到的解決方式，便是換個奶粉品牌試看看，結果A牌換B牌，B牌換C牌，可惜換來換去結果都差不多。

其實這些腹脹吐奶的寶寶，通常是發生了程度不一的牛奶蛋白過敏，因此不管品牌怎麼換，基於奶粉製造來源都是牛奶蛋白，所以都解決不了根本的問題。

又是「與 IgE 無關的慢性過敏」惹禍

相較於成人來說，小嬰兒的消化酵素活性差，消化力較弱，所以牛奶蛋白進入腸道之後不易分解完全；加上嬰兒腸壁的通透性較高，這些大分子的牛奶蛋白，容易直接吸收進入血液循環系統，慢慢的就誘發「與 IgE 無關的慢性過敏」。

這些慢性過敏的症狀變化多端，而且程度不一，包括脹氣、腹瀉、溢吐奶、皮膚紅疹，甚至可能是便祕的症狀發生。根據研究，有七五％的嬰兒對配方奶粉中的成分出現過敏問題，其中牛奶蛋白占大多數，只是大部分嬰兒症狀輕微，隨著副食品添加後也逐漸淡化。

隨著過敏的程度不同，處理方式也有差別。症狀較輕微的孩子，藉由市售「部分」水解蛋白配方，透過水解技術把「部分」牛奶蛋白分子變得更小，可稍微減輕嬰幼兒腸胃道的消化負擔。但太嚴重的牛奶蛋白過敏，就必須要更積極的處理，改用第二章曾提過的「高度水解奶粉」，把所有牛奶蛋白分子都切碎。

除了水解蛋白奶粉之外，嬰兒豆奶也是個替代的方案，不過通常經過一段時間之後，這些寶寶對大豆蛋白也會開始過敏，印證了免疫訓練原則：單一固定的食物，很容易就會誘發過敏。所以，不管四個月前的寶寶使用什麼方法處理牛奶蛋白過敏，到了四個月大之後，請家長果斷的開始添加副食品，以少量但多樣化的嘗試，希望在六個月大之後，固體食物可以漸漸取代一次配方奶。從奶食轉變為固體食物的過程，必須與醫師或營養師配合，追蹤成長曲線，以免有營養不良的情形發生。

05 吃副食品後輕微過敏的處理方式

有關吃副食品產生與 IgE 相關的急性過敏，在第一節已經介紹了「抓大放小」的處理原則。這一節我們就來介紹吃副食品之後，誘發「與 IgE 無關的慢性過敏」，或者較輕微的蕁麻疹，該怎麼處理。

尿布疹、過敏圈與輕微腹瀉

吃了副食品之後，有些寶寶卻開始脹氣、腹瀉、尿布疹或肛門過敏圈，這也可能是「**與 IgE 無關的慢性過敏**」的問題。

這類食物過敏引發的肛門過敏圈，或者叫做刺激型尿布疹，以氧化鋅藥膏為最好的第一線用藥，既可吸收溼氣，也可以隔離造成刺激的糞便。使用的方式為擦厚厚一層，每次換尿布都裹一層上去，讓下次噗噗的時候，糞便不致於刺激皮膚。類固醇藥膏雖然也很好，但不能久擦，不紅之後就要停止用藥。

如果懷疑某種食物造成過敏，可以把它減半再減半繼續吃，直到沒有症狀為止，不要才出現一點點肛門口過敏圈，就把食物給封殺了。還是回到最重要的原則：少量而多樣化的添加副食品，依然是避免過敏症狀最理想的方式。

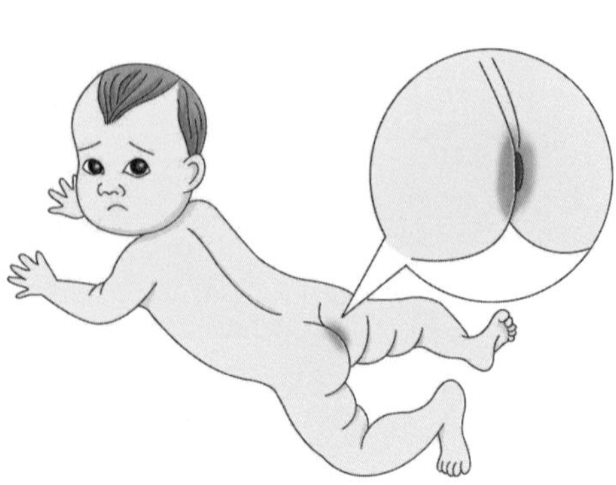

口水疹

除了腹瀉和尿布疹之外，與 IgE 無關的慢性食物過敏，也會誘發皮膚的過敏症狀，其中就包括口水疹。

口水疹應該是嬰兒很常見的問題，由於副食品的食物殘渣（蛋白質），常常存留在寶寶的口水裡，於是嘴巴周圍所沾到之處，就可能會誘發過敏性溼疹，也就是俗稱的「口水疹」。

通常如果口水疹不是很嚴重，可以用羊脂膏隔離寶寶的肌膚，讓食物殘渣不至於直接接觸肌膚，減少局部的溼疹。既然羊脂膏的作用是隔離，記得要擦的夠勤快，盡量別讓口水接觸到皮膚。

如果口水疹實在太嚴重，就要做一下飲食記錄，看看究竟是哪一種食物誘發慢性過敏，搭配擦一些抗發炎的藥膏，就可以讓寶寶的臉慢慢恢復光滑。

蕁麻疹

食物過敏若引起全身症狀，可能以蕁麻疹或異位性皮膚炎作為表現。通常異位性皮膚炎的孩子如果控制不佳，食物過敏就會以異位性皮膚炎惡化來呈現，而沒有

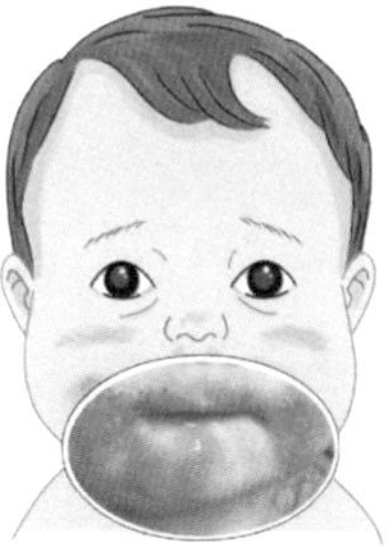

▲ 嬰兒常見的口水疹

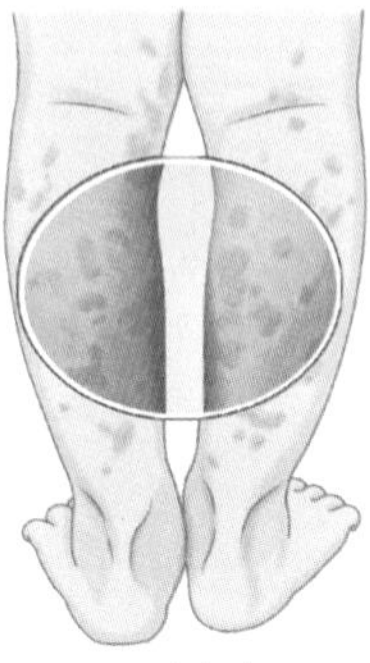

▲ 蕁麻疹

異位性皮膚炎體質的孩子，則以蕁麻疹為主要過敏表現。

如果懷疑某種食物會引發蕁麻疹，或異位性皮膚炎，可以先暫停兩週完全不碰那樣食物，兩週過後，再給孩子吃一次，但這次只吃一小口。如果只是吃一小口，皮膚炎在二十四小時內又再度發作，就表示你的孩子可能真的對此食物嚴重過敏，那就別再吃了。

蕁麻疹發作時，可以給孩子吃抗組織胺藥水（勝克敏液、希普利敏液等），暫時舒緩症狀。這種由內而外的過敏反應，擦藥比較沒效，吃藥可立即見效。

飲食記錄抓兇手

有時候家長已經將「牛奶、雞蛋、黃豆、海鮮、堅果、小麥」停了一輪，還是抓不到兇手，可以繼續藉由飲食記錄來找答案。

在過敏發作時，將二十四小時內吃過的所有食物，鉅細靡遺的記錄在一張紙上，記得要包括食物的來源，比如說某一品牌的食物，或某一家菜市場的攤位。然後將這張紙放在抽屜裡，下次萬一又再過敏，就再記錄一次，並且把上次抽屜裡的飲食記錄單拿出來比對，有時候就會發現蹊蹺。比如說平常吃鮭魚沒事，但「某一家店所賣的魚不新鮮」，吃他們家的就會過敏。

以這種「試誤學習」的方法，找尋食物過敏原，其實會比任何抽血檢查都還要敏銳！

抽血檢驗過敏原，必須謹慎解讀

幾乎所有台灣家長一聽到「過敏」二字，就想到要抽血檢驗過敏原。過敏原檢測雖然是醫生找出過敏原的武器之一，但在判讀報告卻要非常小心，必須與醫師詳細討論，否則很有可能抓到不該抓的物質，卻漏掉了真正的過敏元兇。

在拿到過敏原報告後，我會跟病人家屬一起討論，先讓他們回想那些高過敏指數的食物，之前有沒有吃過？反應如何？逐一檢視之後，挑選其中指數最高的一或兩項食物，先完全暫停二到四週不碰那樣食物，觀察症狀是否改善。暫停過後，再給孩子吃上述食物，觀察症狀是否惡化。這樣一消一漲，比對之下，就可以確定此食物是否可以繼續吃了。

CHAPTER 4

過敏氣喘、過敏性鼻炎、過敏性結膜炎

01 懶人包：快速認識過敏性鼻炎和過敏氣喘

還記得本書第一章的這張圖嗎？隨著孩子年齡漸長，過敏症狀也會開始變化，從皮膚和腸胃道過敏，進展到本章的主題：**呼吸道過敏**。兩歲左右過敏體質的孩子可能會開始過敏氣喘，五歲左右會開始過敏性鼻炎，這都是許多現代家庭所遇到的困擾：鼻涕流不停，咳嗽反反覆覆。

兒童久咳不癒可能是過敏氣喘，而非鼻涕倒流

讓我們比較一下過敏性鼻炎和過敏氣喘這兩種疾病。

過敏性鼻炎的症狀，家長肯定熟悉得不得了，包

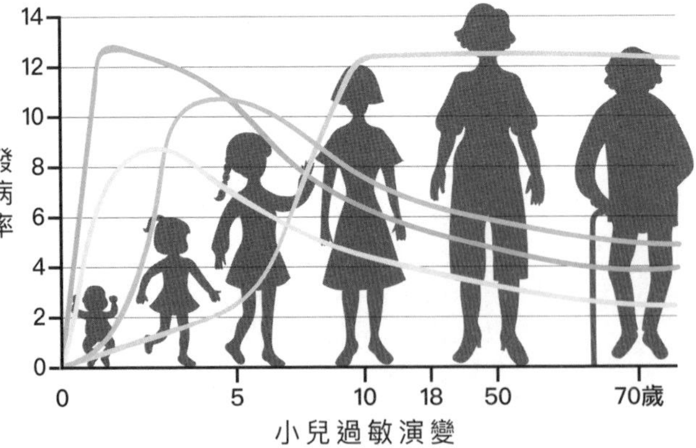

—溼疹(Eczema) —鼻炎(Rhinitis) —氣喘(Asthma) —食物過敏(Food allergy)

資料來源：March 2019 The Journal of allergy and clinical immunology

括：●流鼻涕、■打噴嚏、★鼻塞；至於過敏氣喘的症狀，則是：●痰、■咳、★喘。

用這張圖來跟大家解釋，過敏性鼻炎和過敏氣喘，其實發作原理極相似，只是器官不同罷了。

過敏性鼻炎和過敏氣喘發作原理

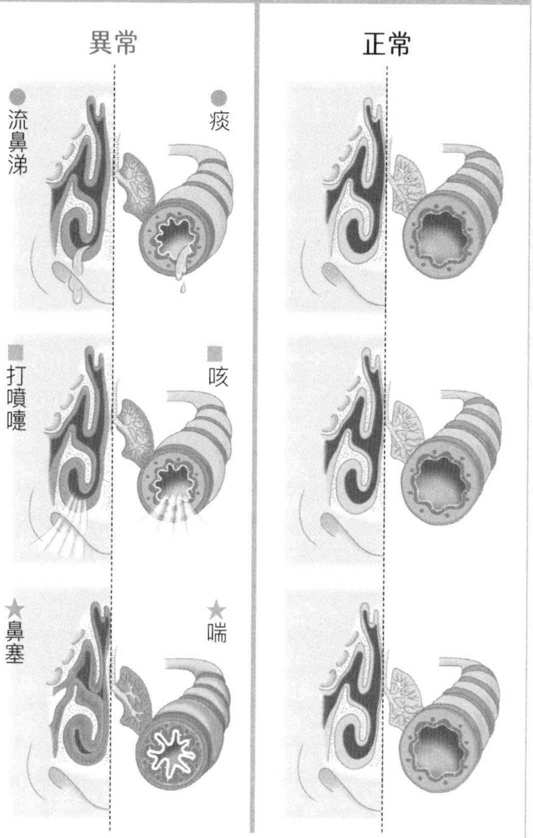

▲ 過敏性鼻炎的鼻黏膜分泌物是●鼻涕，過敏氣管的氣管黏膜分泌物是●痰；鼻子癢會■打噴嚏，氣管癢會■咳嗽；鼻黏膜腫脹會★鼻塞，氣管黏膜腫脹則會阻塞，呼吸困難並發出★喘鳴聲。

過去因為醫療不發達，過敏氣喘被診斷的時候，通常已經到了最嚴重的程度，症狀就是發出喘鳴聲，所以此疾病才會被命名為「氣喘」。但生活在台灣的父母，醫療這麼方便，在走到最嚴重的喘鳴之前，過敏氣喘的孩子應該已經長期「有痰」和「咳嗽」等症狀，尤其是在夜間、清晨或運動後，如果及早處理，就不會走到喘鳴這個程度。

所以，並不是躺下後咳嗽，就一定是鼻涕倒流，可能是初期的過敏氣喘，尚未被正確的診斷。同樣可以解釋，為什麼吃鼻水藥後雖然鼻涕不流了，但依然有痰音與咳嗽，因為病因在氣管，而非鼻黏膜。並非「咳嗽久了變氣喘」，正確的說法應該是「咳嗽久了，要考慮氣喘已經發作」。

六個方法輕鬆判斷幼童過敏氣喘

過敏氣喘在五歲以下，並沒有太好的檢測方法。雖然可以藉由抽血、肺功能檢查、呼氣一氧化氮濃度來幫助診斷，但這些方法有些準確度不高，有些幼童不易配合，因此只能用以下六個症狀來評估：

1. 你的孩子曾經呼吸有「咻咻」的喘鳴聲嗎？
2. 你的孩子常常有夜間咳嗽、夜間喘鳴而睡不好的症狀嗎？
3. 你的孩子曾經因為咳嗽、喘鳴、胸悶不舒服而停止跑步或遊戲嗎？
4. 你的孩子接觸到抽菸、裝潢味等汙染的空氣，或者跟小動物玩之後，就會胸悶、咳嗽，或者發出喘鳴聲嗎？
5. 你的孩子有慢性咳嗽，並曾經有異位性皮膚炎，或曾經食物過敏嗎？
6. 你的孩子有慢性咳嗽，並家裡有親戚有過敏氣喘、過敏性鼻炎、皮膚過敏或食物過敏等家族史嗎？

常常在門診，聽家長抱怨孩子兩個月以來感冒都「痰很多」，而且每次症狀都「超過十天以上」，加上上述症狀綜合評估，醫生可能會先給孩子氣喘的藥物治療。治療後一段時間，症狀若明顯改善，就更加確定是過敏氣喘，此時除了用藥之外，應該搭配環境與飲食的控制，就能慢慢將藥物減量，甚至最後可以停藥。

過敏性鼻炎和過敏氣喘的用藥

過敏性鼻炎與過敏氣喘都有所謂**短期症狀治療**，和**長期保養**兩種不同的方向，在接下來的文章會跟大家詳細介紹。短期症狀治療就是讓孩子暫時舒服，比如說吃抗組織胺藥水止鼻涕，吃氣管擴張劑緩和咳嗽等，但這只是暫時緩解症狀的藥物，並不能真正的降低鼻腔與氣管黏膜的發炎。

長期保養的藥物，最常使用的是低劑量類固醇的鼻噴劑（針對鼻炎），和吸入劑（針對過敏氣喘）。這些保養藥物，最常見的錯誤用法，是被誤當短期症狀治療藥物，愛吸不吸、愛噴不噴，三天打魚兩天曬網，肯定是沒效的。正確的使用低劑量類固醇，應該開始使用後，持續二至三個月不間斷，即便症狀穩定也不停藥，才能真正讓黏膜完全消腫不復發。

另外一種長期保養的口服藥，是俗稱欣流或同結構的藥。這類型的藥物比較挑體質，約一半的孩子可改善症狀，另外一半的孩子就沒啥感覺；至於對過敏性鼻炎症狀，則多半沒有幫助。欣流可當第二線輔助使用，如果吃一個月效果不顯著，代表孩子可能不太適合。有少數孩子（約一至三%）吃了這類型的藥物會脾氣不好，若用藥後開始哭鬧生氣，停藥就可恢復原來的氣質。至於中藥、益生菌就當作調整體質來吃，沒有太多的研究佐證療效。

非藥物控制：環境與飲食

用了保養藥物後，咳嗽與鼻子的症狀會穩定下來，此時更要把握機會，開始執行非藥物控制：**環境控制和飲食控制**。環境控制包含空氣汙染的處理（戒菸、遠離燒香、開空氣清淨機），過敏原的處理（包覆防蟎套、定期除溼）。飲食控制是拒絕吃人工添加物、色素、香精、防腐劑，與時常吃天然健康的食物，**吃水果是健康的**。

以上是過敏性鼻炎與過敏氣喘的基本介紹，接下來就針對這兩個家長最煩惱的呼吸道過敏議題，詳細的介紹給大家。

02 慢性鼻涕或咳嗽的三病因：病毒、過敏和細菌

孩子反覆的流鼻涕、咳嗽、痰音厚重，總是讓家長心煩意亂，而且吃了藥即便暫時改善，常常又會復發。遇到這樣的孩子，我常常在診間畫一張圖給爸媽看，讓父母知道孩子的呼吸道問題，其實是三種病因相互加成所導致的結果。

這三種病因分別是：病毒感染（感冒）、呼吸道過敏（氣喘／鼻炎），與細菌移生。換句話說，醫生很難只給「一帖藥」，就永遠搞定慢性呼吸道的困擾。

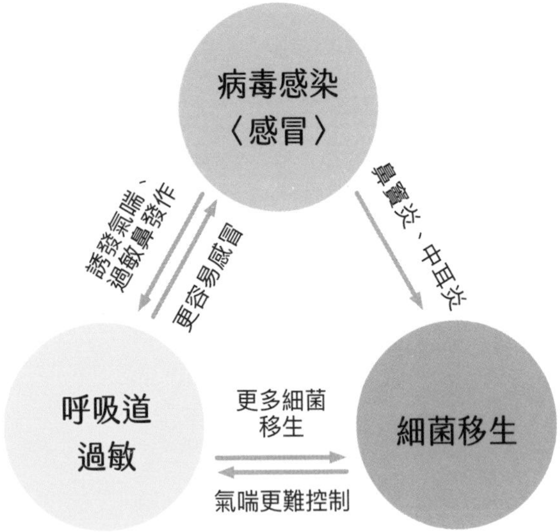

病因一：病毒感染是兒童成長過程的日常

兒童的免疫系統從一張白紙開始，對所有的病毒都沒有抵抗力，所以在學齡前不斷的感冒，這是很正常的。會造成孩子感冒的病毒種類繁多，著名的包括流感病毒、腺病毒、呼吸道融合病毒、鼻病毒、冠狀病毒、人類間質肺炎病毒等。因此，一般這段時期的孩子，一年大大小小病毒感染八至十三次，平均一、兩個月就感冒，並不是少見的情形。

我時常安慰家長，孩子這段期間正在「蒐集病毒碼」，等到所有種類的病毒都集滿之後，感冒的頻率就會下降了。根據研究顯示，一個孩子進入團體生活後（托嬰中心或幼兒園），平均大約四年左右，會將大部分的病毒都感染一輪，這就是為什麼上了小學之後，感冒的頻率就下降許多。

病因二：過敏性鼻炎與過敏氣喘，感冒症狀拖超久

呼吸道過敏的孩子，常常被家長抱怨「感冒都不會好」，一直吃感冒藥，吃

了三個月都沒好完全。在這種情形下，我會畫這張圖跟家長解釋：

病毒感染的併發症，最常見就是誘發過敏氣喘／過敏性鼻炎，導致症狀久久不癒。由圖示可知，孩子感冒一直好不了，其實並非抵抗力差，也別怪他手沒洗乾淨，原因在於「呼吸道過敏」。只要藉由藥物、環境和飲食控制，圖中紅色的過敏曲線就可以被消除，孩子能回到一般感冒「蒐集病毒碼」的生活。

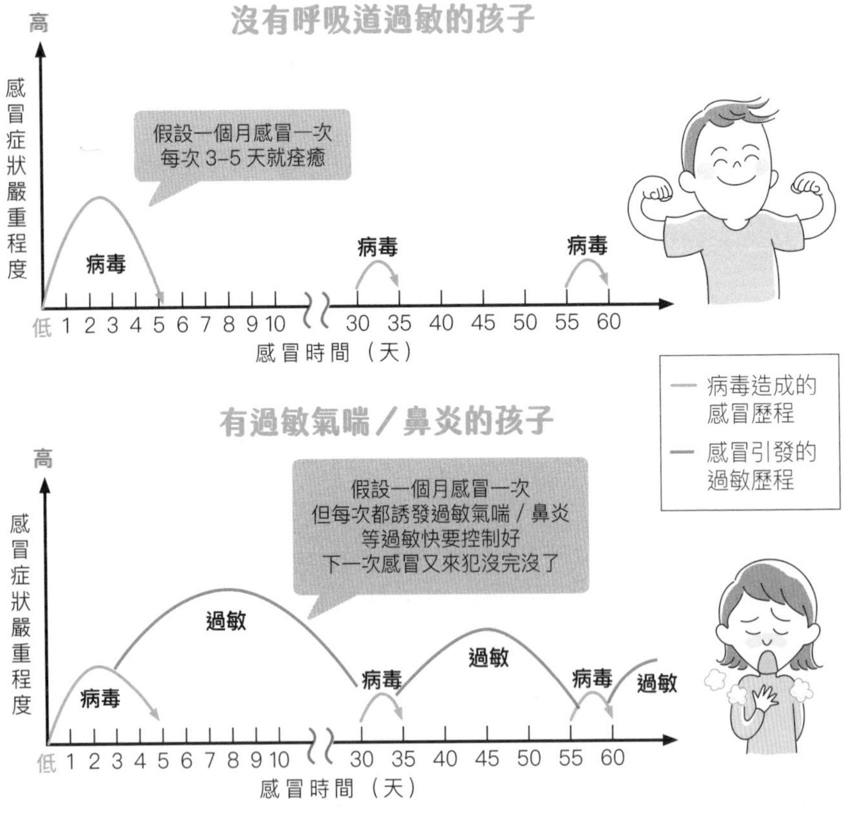

病因三：移生細菌出來搗蛋

另一個病毒感染的併發症，就是給細菌趁虛而入的機會，造成黃鼻涕、咳黃痰，甚至引發鼻竇炎、中耳炎。

你可能不知道，兒童的呼吸道，細菌是隨時隨地常駐。平常風平浪靜的時候，帶菌的孩子沒有任何症狀，細菌處於半休眠狀態。這些細菌躲在呼吸道的黏膜之中，用人類呼吸道的分泌物，幫自己蓋個房子（biofilm）躲起來，讓免疫細胞找不到他，我們稱之為細菌移生（colonization）。

然而當病毒來襲時，這些本來處於半休眠的細菌，知道人體的免疫系統現在正忙著對抗病毒，就會悄悄的溜了出來，看看有沒有機會擴張領土，這種情形我們叫做「繼發性細菌感染」。

繼發性細菌感染有時輕微，有時嚴重，抵抗力最差的孩子，細菌會竄入血液中，造成嚴重的敗血症、腦膜炎、肺炎等，這些都是帶有致命風險的侵襲性感染疾病。幸好目前台灣兒童都接種了肺炎鏈球菌疫苗，以及五合一疫苗，這些致命的侵襲性細菌感染，已經非常少見了。

抵抗力中等的孩子，雖然不會發生侵襲性疾病，但細菌還是可能跑進中耳腔，引起中耳炎，或跑進鼻竇腔，造成化膿性的鼻竇炎。這些感染雖不嚴重，但在適當的時機，還是必須使用抗生素治療，以免聽力受損，或者影響生活品質。

抵抗力還算不錯的孩子，細菌只能在黏膜上低度的繁殖，但光是這種「黏膜性細菌感染」，已經足以讓寶寶慢性咳嗽，以及時好時壞的黃鼻涕。這些呼吸道帶細菌的孩子，在治療上有一個特色，就是只要吃抗生素，咳嗽鼻涕就痊癒了，但只要醫生一停藥，下次感冒黃鼻涕和濃痰又跑出來，反反覆覆感覺無法根治。

由於醫生使用了抗生素後，雖然殺死大部分的呼吸道細菌，但少部分的細菌會逃過一劫，再度躲回移生的休眠狀態，很難殺乾淨，也因此下次感冒時，這狡猾的細菌又會跑出來搗蛋。

黴漿菌感染怎麼和過敏氣喘分辨？

提到慢性咳嗽，很多家長曾聽醫生說過「黴漿菌感染」的可能性。沒錯，黴漿菌也是呼吸道帶菌的一種，而且也是頗難纏的一種，但黴漿菌感染並不會黃痰、黃鼻涕，只會造成慢性的咳嗽。

但大部分的人感染黴漿菌之後，都可以自行痊癒，就只有少部分人感染黴漿菌後，會造成慢性咳嗽。哪一些人感染黴漿菌後特別容易咳很久呢？就是帶有過敏氣喘體質的病人，兩種疾病同時發作！換句話說，如果只是給予抗黴漿菌的抗生素（如：日舒），卻不治療氣喘，常常好了一陣子又再復咳，這時候同樣應該將過敏氣喘放入治療計畫中。

打敗慢性咳嗽和鼻涕：三階段治療

從以上的介紹可以得知，慢性咳嗽或鼻涕的孩子，光是吃感冒藥，或使用抗生素，是無法一次解決三種病因的。

通常我的**第一步計畫，是先把過敏控制住**，利用保養藥物、環境控制和飲食控制，在接下來的章節我會一一詳述。先把過敏控制好，下次感冒時就不會拖長時間；過敏穩定之後，細菌的移生也會相對減少，等於一次步驟解決兩個問題，絕對是治療上最優先的第一步。

過敏藥物使用之後，如果症狀改善有限，**第二步是提升免疫力，讓移生細菌減少**。提升免疫力有很多做法，包括睡眠、運動、維生素D的補充，吃健康的食物，別讓情緒影響免疫力等，完整內容可參考延伸閱讀《輕鬆當爸媽，孩子更健康》（時報出版）。當然，偶爾必要時，也可以使用抗生素治療一個療程。

最後一步，就是減少病毒感染，除了大家耳熟能詳的勤洗手，戴口罩之外，托嬰中心也是一個大病毒窟。如果家長有其他照顧選項的話，可以試著帶孩子暫時離開團體生活，等免疫力更成熟之後，再回到學校裡。

番外篇

托嬰中心症候群

我有一對夫妻朋友，雙薪家庭，生了一個可愛的女寶寶，因為工作忙碌、有房貸要背，年邁的雙親也無法照顧孫女，不得已之下，只好白天把女兒送托嬰中心。短短兩個月，他女兒的咳嗽、鼻涕從來沒停過，媽媽忍不住打電話給我，想評估孩子是不是「免疫功能出了問題」，希望能抽血檢驗一下。

這在門診其實很常見，每次碰到這樣的描述，我就會在這些孩子的病歷上標記「托嬰」二字，代表一個非正式的診斷，暱稱為「托嬰中心症候群」，反映寶寶不間斷的、密集的、連續好幾次的病毒感染，造成生病不停的現象。更悲慘的是，父母為了照顧生病的寶寶，時常睡眠不足加上心力交瘁，很快的全家人也都生病，更加添了育兒的挫折感。

團體生活病毒多

根據統計資料顯示，嬰幼兒進入托嬰中心的前三個月，會增加兩到三倍的肺炎鏈球菌感染，引起中耳炎、細菌性肺炎等。愈早進入托嬰中心的嬰兒，得到中耳炎的機率就愈高。一歲以下就送到托嬰中心的孩子，因呼吸道感染而住院的機率高達三四％，一歲到兩歲才進托嬰中心的孩子仍高達二八％。這些反覆感染的孩子，事實上都沒有「免疫力不良」的問題，他們只是在免疫還不成熟的時候，被送進病毒種類較多元的托嬰中心，「密集班」式度過蒐集病毒碼的歷程而已。

當然也有些人會問，那為什麼同樣在托嬰中心的其他嬰兒，都沒有發燒或生病呢？這時候恐怕也只能用「個人體質」來解釋了。就像新冠病毒，有些嬰兒感染後一點症狀也沒有，有些孩子卻會發燒咳嗽，究竟哪一家孩子會發燒哪一家不會，恐怕要未來基因研究更進步才能得知。另外，有一〇至三〇％的嬰兒在呼吸道有常駐的壞細菌，這些細菌總是趁孩子病毒感染時出來搗亂，這些有帶菌的孩子也特別容易出現嚴重症狀。

除此之外，我也發現嬰兒的安全感愈不足，比如說高敏感氣質的寶寶進托嬰中心，也特別容易生病。這部分的研究還不多，我和師大人類發展與家庭學系合作一篇研究，間接證實母親的憂鬱情緒愈多，孩子的免疫力也會降低，或許這也是「個人氣質」可以解釋的部分。

藉由防疫措施減少病毒傳播

若您的孩子「已經」在托嬰中心或幼幼班，暫時無法有其他的照顧者替代，只能再次提醒「大人」多洗手，戴口罩，做好個人衛生，畢竟小嬰兒的飛沫傳染能力較差，大部分的病毒感染，都還是來自輕症或無症狀的大人。若你家寶寶有輕微的感冒，也務必誠實請假在家休息，別害托嬰中心其他的寶寶生病。

除此之外，增強抵抗力的方法包括喝母乳，補充維生素D、接種流感疫苗、肺炎鏈球菌疫苗、水痘疫苗等。當寶寶感染生病時，除非症狀影響食欲或睡眠，否則盡量少吃藥，避免藥物副作用，也預防抗生素的濫用。反覆托嬰中心症候群的寶寶，也可以考慮回家讓爸爸、媽媽、祖父母，或是可信任的固定保母照顧，減少病毒的暴露。等年齡再大一些，雖然病毒碼還是得在兒童期蒐集完畢，但至少三歲以上小孩生病，照顧起來比較不會那麼心力交瘁，住院率也相對較低一些。

03 如何診斷過敏氣喘

兩歲半的小典，自從上了幼幼班之後，時常感冒，每次感冒都會拖延兩週以上，咳嗽有痰，但是精神很好。晚上一定會先咳幾聲才睡著，早上起來也是一樣，食欲活動力都沒問題，每次看醫生就拿藥吃，斷斷續續也吃了兩個月。

三歲的小魚，雖然不是很常感冒，但是只要一中獎，就一定是痰多、咳到不行，嚴重度比身邊孩子都還慘烈。感冒的那一個禮拜當中，在夜闌人靜的時候，可以聽到小魚的呼吸聲發出「咻～咻～」的汽笛聲。

五歲的小華，平常就偶爾會咳嗽，但每次在運動過後，都咳得特別厲害，常常要咳三十分鐘過後才會漸緩。

上述這些故事敘述，有哪些和您家的孩子很雷同呢？事實上，兒童過敏氣喘的診斷，通常不需要太先進的儀器，或者是抽血檢驗過敏原，只要詳細問診與臨床評估，通常就能得到良好的診斷。

五歲以下過敏氣喘的自我診斷

過敏氣喘在五歲以下，並沒有太好的檢測方法，雖然可以藉由抽血、肺功能檢查、呼氣一氧化氮濃度來幫助診斷，但這些方法在兒科準確度不高，加上幼童配合不易，因此大部分時候，醫師都是以臨床症狀與詳細問診，來診斷幼童的過敏氣喘。

在本章第一節的懶人包中，我列出六個過敏氣喘的症狀，提供家長與醫師評估：

1. 你的孩子曾經呼吸有「咻咻」的喘鳴聲嗎？
2. 你的孩子常常有夜間咳嗽、夜間喘鳴而睡不好的症狀嗎？
3. 你的孩子曾經因為咳嗽、喘鳴、胸悶不舒服而停止跑步或遊戲嗎？
4. 你的孩子接觸到抽菸、裝潢味等汙染的空氣，或者跟小動物玩之後，就會胸悶、咳嗽，或者發出喘鳴聲嗎？

5. 你的孩子有慢性咳嗽，並曾經有異位性皮膚炎，或曾經食物過敏嗎？

6. 你的孩子有慢性咳嗽，並家裡有親戚有氣喘、過敏性鼻炎、皮膚過敏或食物過敏等家族史嗎？

問完上述六問之後，家長表示孩子的確有些症狀很相似，但哪個孩子運動後不咳個兩聲？有時候孩子呼吸急促，也不易分辨是過敏氣喘發作，抑或只是跑步後的氣喘吁吁。此時「如何診斷五歲以下幼童的氣喘體質？」的表格，就能幫助大家更精準的判斷。

如何診斷五歲以下幼童的氣喘體質？

不太像是氣喘兒	可能是氣喘兒	通常是氣喘兒
• 感冒咳嗽症狀很少超過十天。 • 感冒咳嗽症狀一年不到三次。 • 兩次感冒之間幾乎無症狀。	• 感冒咳嗽症狀時常超過十天以上。 • 慢性咳嗽症狀一年超過三次以上。 • 曾經氣喘大發作。 • 曾經夜間咳到睡不著。 • 兩次感冒之間也偶爾會咳嗽、氣喘，或痰音沉重。	• 感冒咳嗽症狀時常超過十天以上。 • 慢性咳嗽症狀一年超過三次以上。 • 曾經氣喘大發作。 • 曾經夜間咳到睡不著。 • 兩次感冒之間也偶爾會咳嗽、氣喘，或痰音沉重，尤其是開心大笑或遊戲時。 • 曾經有異位性皮膚炎、食物過敏、或氣喘家族史。

★ 這三種狀態會隨著年齡而變動，可能變嚴重，也可能逐漸改善。

★ 醫師也可利用氣喘用藥後的反應，判斷孩子是否有氣喘體質——用了藥效果好，代表可能是氣喘兒。

五歲以上兒童的過敏氣喘診斷

五歲以上兒童的過敏氣喘診斷，已經可以配合深吸氣、用力吐氣的指令，因此除了上述的臨床症狀之外，就可以藉由一些儀器，來做出更精準的過敏氣喘診斷。這些儀器包括肺功能檢查、呼氣一氧化氮濃度（FeNO）檢查、尖峰呼氣流量計等。由於檢查必須在醫療院所才能執行，本書就不多加贅述了，由你的兒科醫師替孩子安排檢查，並且解釋報告結果。

請睜大眼睛看：過敏氣喘的診斷**並沒有包括抽血檢驗過敏原，也不包含胸部X光**，除非醫師有其他必須排除的疾病考量。

▲ 尖峰呼氣流量計

▶ 肺功能檢查／呼氣一氧化氮濃度（FeNO）檢查

慢性咳嗽除了過敏氣喘之外，其他可能的診斷

當然，並不是每個慢性咳嗽的孩子，都是過敏氣喘的問題。左邊的表格列出一些同樣以慢性咳嗽為表現的疾病，供醫師與家長鑑別診斷：

❶ 胃食道逆流症	邊吃飯邊咳，吃太多會吐，過敏氣喘用藥治不好。
❷ 異物吸入	幾天前曾經嗆到異物，遊戲或吃飯時呼吸聲變大，並伴隨劇烈咳嗽。
❸ 移生細菌出來搗蛋	在本章第二節介紹過。（詳見P.197）
❹ 軟喉症	一歲前小嬰兒，吸氣雜音比呼氣更大聲。
❺ 先天性心臟病	出生後就有症狀，心臟超音波可診斷。
❻ 肺結核	可能發燒，家中有肺結核接觸史，過敏氣喘用藥治不好。
❼ 先天免疫低下	反覆感染與發燒，合併生長遲緩。

正如前面所述，醫生可能在診斷過程中，先開立過敏氣喘用藥治療二至三個月，若咳嗽與喘鳴等症狀仍持續，通常就會去考慮其他非過敏氣喘的診斷。但所謂的「過敏氣喘用藥」是用吃的嗎？非也非也。

第一線使用的過敏氣喘用藥，其實是所謂低劑量吸入型類固醇，偶爾搭配氣管擴張劑來使用。什麼是低劑量吸入型類固醇？該如何使用？將在下一節替大家介紹。

04 過敏氣喘（過敏性氣管炎）的用藥與治療

過敏氣喘的照護有藥物治療，與環境飲食調整，在本節我先跟各位介紹用藥的部分，環境與飲食的調整放在本章的最後一節。

過敏氣喘用藥分**短期症狀治療**，和**長期保養**兩種不同的方向，短期症狀治療就是讓孩子暫時舒服，晚上睡個好覺，運動的時候不會因咳嗽而中斷，但只是治標而不治本。長期保養的藥物，最常使用的是低劑量吸入型類固醇，開始使用後，持續二至三個月不間斷，即便症狀穩定也不停藥，才能真正讓黏膜完全消腫不復發。

短期症狀治療藥物——支氣管擴張劑、口服或注射型類固醇

孩子半夜咳不停，遊戲中會咳嗽，甚至發出喘鳴聲，最立竿見影的治療方式，就是給予支氣管擴張劑，作為短期症狀治療的藥物。

氣管擴張劑家長肯定不陌生，劑型五花八門，包括口服藥水（適喘寧液、喘解液等）、藥丸、藥粉或掛急診氣霧給藥，還有奇怪的止咳塞劑等，這些都屬於支氣管擴張劑。不論是吃的還是吸的，其作用都一樣，目的就是立刻改善生活品質，與過敏氣喘大發作時拿來救命。

支氣管擴張劑對於過敏氣喘的症狀緩解非常有效，除了把氣管撐開，讓呼吸變輕鬆之外，纖毛活絡也更容易將痰咳出，病患馬上就覺得舒服多了。但別忘記任何藥物都有副作用，很多孩子吃了感冒藥之後，精神亢奮睡不著覺、心跳加速或手指發抖，也可能是支氣管擴張劑的副作用。

有些孩子過敏氣喘發作十分嚴重，即便使用氣管擴張劑也不容易控制，此時醫生會適度的使用口服（必爾生口服液）或注射型類固醇，讓嚴重過敏氣喘的孩子得以呼吸順暢。跟「吸入型」類固醇完全不同，「口服」或「注射」類固醇是

屬於全身性的暴露，長期使用的副作用包括月亮臉、水牛肩、生長抑制等症狀，因此不應連續使用超過十四天。待症狀達到緩解之後，應盡快停藥，改使用低劑量吸入型類固醇，才不會有副作用的產生。

長期保養藥物——低劑量吸入型類固醇

在本章不斷提及低劑量吸入型類固醇，不論是用來診斷過敏氣喘，或者各種年齡層的患者用來長期保養，幾乎全世界的準則，都是以低劑量吸入型類固醇為首選。

為什麼吸入的藥物勝過口服藥？想像一下，任何口服藥物進入身體後，全身上下各個器官都暴露在藥水中，當然氣管也浸泡在適當的濃度，而得到症狀的改善。但如果生病發炎的器官就只有氣管一個地方，醫生用吸入型的藥物，就像在氣管上塗一層藥，不需要干擾其他器官的生理運作，這豈不是更好的選擇嗎？

因此，有些家長聽到「類固醇」三個字，就盲目的排斥，反而害慘了過敏氣喘的孩子。一般保養使用的吸入型類固醇，身體吸收率都非常低，劑量通常也低於口服的百分之一，長期保養數個月，完全不會有月亮臉、水牛肩、生長抑制等不好的副作用。

過敏氣喘保養得當，睡眠品質改善，食慾增加，更有力氣長高長大，學習效率也較佳，所以要聽醫生的話，乖乖吸藥。

下面這張圖是全球氣喘創議組織（GINA）對於五歲以下過敏氣喘兒童治療建議。

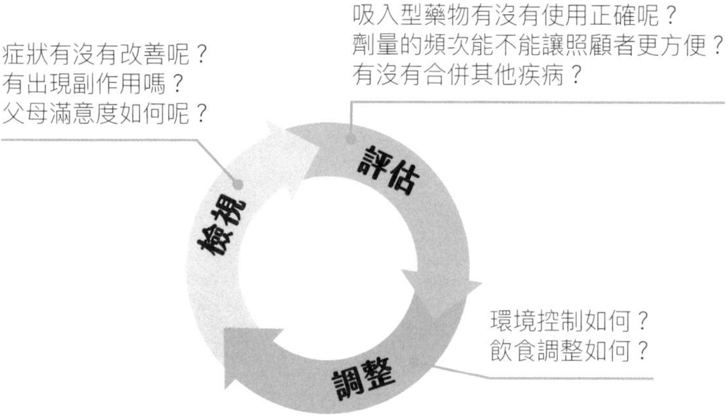
吸入型藥物有沒有使用正確呢？
劑量的頻次能不能讓照顧者更方便？
有沒有合併其他疾病？
症狀有沒有改善呢？
有出現副作用嗎？
父母滿意度如何呢？
評估
檢視
調整
環境控制如何？
飲食調整如何？

藥物與可以隨著氣喘嚴重等級而調升或調降

	氣喘前期	氣喘 1 級	氣喘 2 級	氣喘 3 級
長期保養藥物		每天使用低劑量吸入型類固醇	將吸入型類固醇提高為兩倍劑量	轉介至過敏氣喘專科醫師評估
短期症狀治療藥物	偶爾不舒服的時候使用氣管擴張劑			
嚴重等級症狀簡介	感冒咳嗽症狀很少超過十天，兩次感冒之間幾乎無症狀。	• 可能是氣喘兒，醫師先使用吸入型類固醇三個月，以輔助診斷。 • 一年發生超過 3 次，需口服或吸入氣管擴張劑才能緩解症狀，一年發生超過三次。	確定為氣喘兒，使用一般劑量吸入型類固醇後仍控制不佳。	使用兩倍劑量吸入型類固醇後，仍然控制不佳。

過敏氣喘藥物

支氣管擴張劑乃治標，吸入型類固醇才是治本。

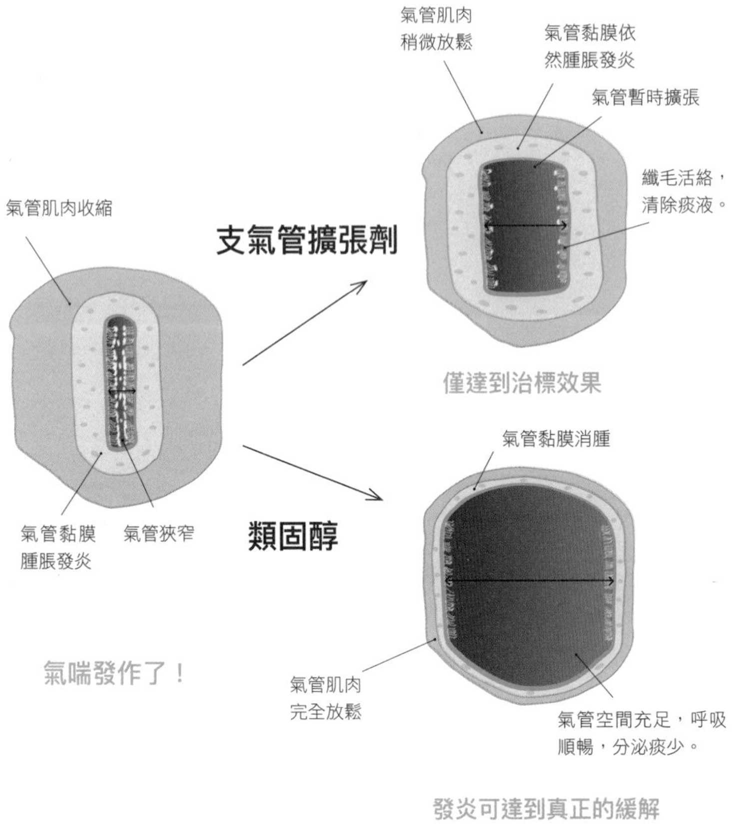

定量噴霧吸入劑＋搭配吸藥輔助艙

大家一定很好奇，所謂「低劑量吸入型類固醇」，到底長什麼模樣？請看左邊這張圖片：

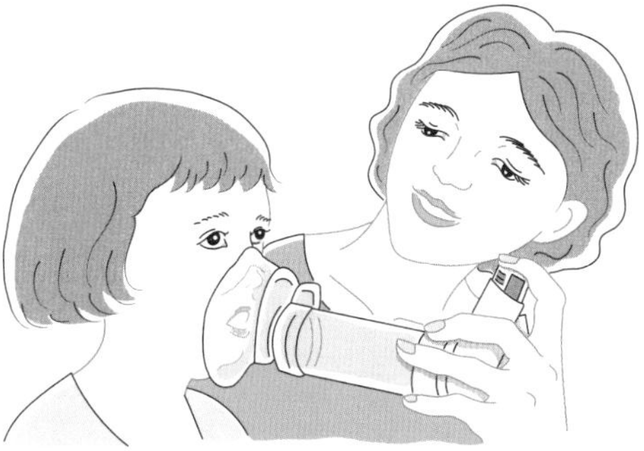

畫面中媽媽手上拿的，是一種叫做「定量噴霧吸入劑」的裝置，乃最簡單的家用吸入劑。它的原理很簡單，利用氣壓把藥物噴出一個固定的劑量，並且打成非常非常細小，成為可吸入氣管的微顆粒。

畫面中罩在孩子臉上的，則是單價約台幣一千三百元的「吸藥輔助艙」。為什麼定量噴霧吸入劑要搭配吸藥輔助艙呢？原因是孩子不像大人，可以數到三「用力吸氣」，如果沒有吸藥輔助艙的幫忙，時常藥物根本沒有吸進氣管，直接黏附在口腔，或順著口水就吞下去了。

要知道孩子吸的是「低劑量」類固醇，劑量就已經非常低了，順著口水吞到肚子裡幾乎沒有藥效，所以必須使用吸藥輔助艙，讓藥物順利擴散到氣管中。

另外，使用吸藥輔助艙，還可以減少藥物的副作用。剛才提到孩子不懂得正確吸藥，常常類固醇黏在口腔上，若忘記漱口，久而久之會併發口腔念珠菌感染，也就是俗稱的「鵝口瘡」。但如果使用吸藥輔助艙，藥物不會黏著在口腔，鵝口瘡的副作用機率也大幅的降低，即便偶爾忘記漱口也沒關係。

定量噴霧吸入劑加上搭配吸藥輔助艙的正確使用方法，可以參考右頁「如何使用吸藥輔助艙？」這張圖。首先將藥瓶搖一搖，面罩緊扣不要漏氣，五歲以下的兒童不會憋氣，按下定量噴霧後，讓孩子自由呼吸三十秒，就算完成了。這三十秒過程中可以唱歌、可以說故事、可以數數，不需要緊張兮兮的要孩子深呼吸。五歲以上的孩子懂得憋氣，可以在吸氣的同時，壓下定量噴霧吸入劑，慢慢吸飽氣後憋氣十秒鐘，再緩緩吐氣。

如果醫師說要噴兩下，意思是噴一次之後，再噴第二次，千萬不要連續噴兩下一次吸光，這樣效果會打折扣。使用低劑量吸入型類固醇後，還是建議孩子漱個口，避免口腔長鵝口瘡。

如何使用吸藥輔助艙？

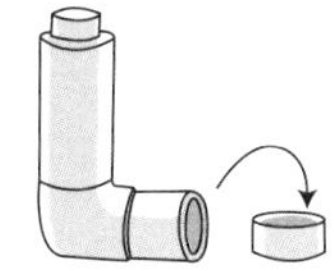

❶打開定量噴霧劑的蓋子。

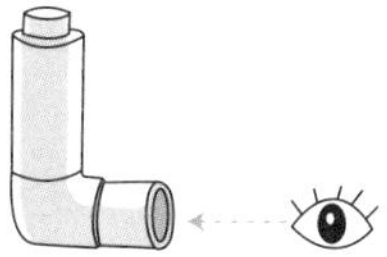

❷看看輔助艙有沒有髒東西。

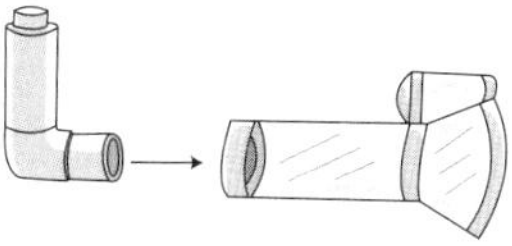

❸將定量噴霧劑以 **L** 字型插入輔助艙。

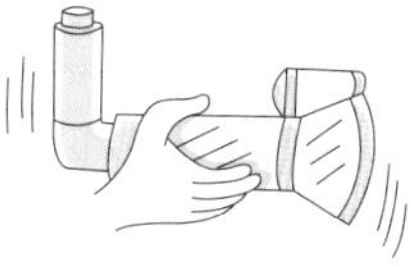

❹上下搖晃五下。

❺輔助艙輕輕罩住口鼻。

❻噴壓一次藥劑，讓嬰幼兒自由呼吸三十秒，或較大兒童吸飽氣憋十秒，再緩緩吐氣。

❼如果需要吸第二劑，則休息三十秒，再重複步驟❹～❻。

‧如何清洗吸藥輔助艙？

❶將尾部橡膠軟蓋取下。

❷零件置於清水中浸泡十五分鐘。

❸將水滴輕輕甩乾，請勿用乾布抹乾，以免傷害內艙。

❹頭上腳下自然風乾。

❺等完全乾燥後，再套回橡膠軟套。

過敏氣喘治療目標

當家長已經完全理解如何使用**定量噴霧吸入劑加上搭配吸藥輔助艙**，也知道低劑量吸入型類固醇是長期保養藥物之後，我就會讓家長把藥物帶回去，一個月之後來驗收成果。

一個月後的問診可濃縮為四個問題：

1. 這個月咳嗽發作頻率是否超過一週一次？
2. 這個月孩子是否因為咳嗽而停止奔跑／遊戲？
3. 這個月氣管擴張劑使用頻率，是否超過一週一次？
4. 孩子是否超過一個晚上因咳嗽而睡不好？

上述四個問題如果答案都是「否」，就表示過敏氣喘控制良好，按照全球氣喘創議組織（GINA）指引可以將藥物降階，持續穩定二至三個月之後，就宣布暫時畢業可以停藥嘍！但如果控制不好，就要仔細詢問哪個環節不夠理想？是否環境還有太多的致敏原？垃圾食物沒戒？或者藥物使用方法錯誤？跟醫師討論後，也可考慮將藥物濃度提高。有關打造不過敏環境的做法，在本書的一七九頁會跟大家詳細解說。

白三烯拮抗劑（欣流同結構藥物）

有些孩子很排斥吸入型類固醇，罩上面罩又哭又鬧，連一分鐘都撐不住，那麼還有另一種保養藥物的選擇，就是前面提過俗稱欣流或同結構（白三烯拮抗劑）的藥。這類型的藥物比較挑體質，約一半的孩子可改善症狀，另外一半的孩子就沒啥感覺。作為第二線輔助使用，如果吃一個月效果不顯著，代表孩子可能不太適合。

欣流不是類固醇類藥物，長期使用副作用很少，而且藥粒、藥粉都甜甜的，每天只要吃一次就OK，因此小朋友接受度極高，也深受家長與小兒科醫師的青睞。另外有些研究報告指出，如果孩子平常時狀況十分穩定，可以僅在感冒時搭配服用欣流，進而減少過敏氣喘發作的機率。

有少數孩子（約一至三％）吃了這類型的藥物會脾氣不好，若用藥後開始哭鬧生氣，停藥就可恢復原來的氣質。

醫療院所使用的氣霧機

如果您的孩子因過敏氣喘而掛急診，通常醫生會給孩子一個面罩，噴出白色的煙霧，要他慢慢把藥物吸完，通常必須花十分鐘以上。急診醫生給孩子吸的藥，就是剛才提到用來急性治療的「氣管擴張劑」。

不過，如果你手上已經有自己購買的吸藥輔助艙，也知道如何使用定量噴霧吸入劑，那麼我老實說，其實不需浪費時間坐在急診「滋滋滋」的吸半天藥。以相同的氣管擴張劑藥物，在家裡定量噴霧吸入劑加上吸藥輔助艙的效果，並不比急診的「滋滋滋」氣霧機來得差。急診唯一的好處是有氧氣，噴出來的霧氣同時多了一些氧氣濃度，如此而已。

換句話說，對於過敏氣喘的病童，其實並不需要買一台「滋滋滋」的居家氣霧機。當然，氣霧機有其他的功能，比如說當作溫和的洗鼻器，在過敏性鼻炎的章節，我再和大家分享（詳見 P.246）。

✓過敏氣喘的用藥

藥物	外觀	使用方法	副作用
㈠急性期緩解藥物			
❶口服氣管擴張劑		一天二至四次	精神亢奮睡不著覺、心跳加速、手指發抖。使用太頻繁會有抗藥性，愈吸愈沒效。
❷吸入型短效支氣管擴張劑		一天二至四次	
❸口服類固醇		一天三到四次	食欲大開，精神變好。不可連續使用兩週以上，否則會有全身性的副作用。

㈡ 保養與預防藥物			
❶ 吸入型類固醇	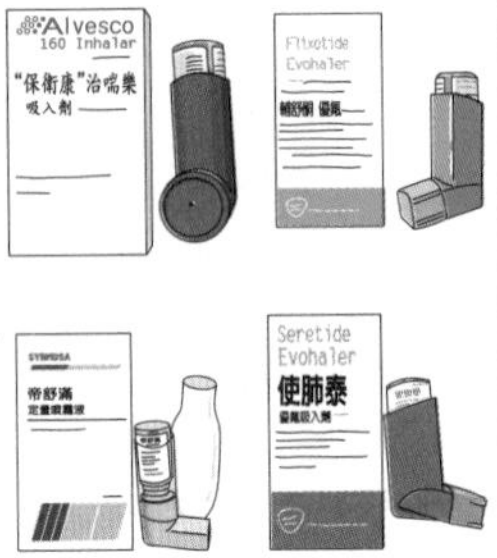	一天一次或兩次。	使用後若沒漱口，某些孩童會併發口腔念珠菌感染（鵝口瘡）。
❷ 白三烯拮抗劑（欣流同結構）	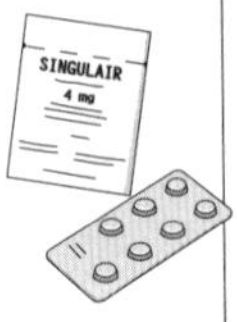	一天一次。	少部分孩子吃了會情緒易怒。
㈢ 其他治療			
❶ 減敏治療	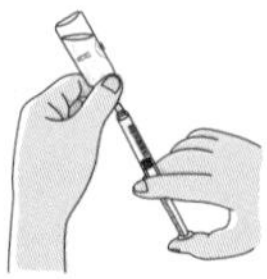	從每週注射一次逐漸遞減，療程三到五年。	治療過程太冗長，偶爾有急性過敏危險。傳統治療無效的選擇。
❷ 單株抗體治療		每兩週至每個月打一次。	僅適用於青少年及成人，價格十分昂貴，保留給用盡各種辦法仍控制不佳的病人使用。

孩子過敏氣喘送急診的時機

「吸入型短效氣管擴張劑」是拿來急救用，不可以天天使用它，然後都不看醫生。當孩子出現以下情形時，就必須送急診或馬上就醫：

1. 先讓孩子使用一次吸入型短效氣管擴張劑，如果一小時內症狀無改善，仍感到很喘、無力，則趕快送醫。
2. 使用一次吸入型短效氣管擴張劑之後，孩子症狀雖然緩解了，但每三小時就必須再使用一次，反覆噴吸超過二十四小時，也需盡快送醫。

05 如何診斷過敏性鼻炎

四歲的小明時常流鼻血，早上起來床單上都是血跡斑斑，嚇死人，像是命案現場。除了流鼻血很困擾之外，小明時常鼻塞、挖鼻孔，連睡覺時嘴巴都張開開的，而且打鼾聲音很大。**我的診斷：過敏性鼻炎。**

六歲的阿德黑眼圈愈來愈嚴重，每天都睡不飽的樣子。他早上起來必打噴嚏，晚上睡覺必定鼻塞，嘴巴都會打開呼吸，常常抱怨鼻子癢，整天都在揉鼻子。不只如此，他的蛀牙很嚴重，口臭也很嚴重，時常口角炎發作，吃了維他命也沒效。**我的診斷：嚴重過敏性鼻炎。**

阿嘎今年國一，滿臉痘痘，每天喊頭痛，脾氣暴躁。他不是壞孩子，每天很用功讀書，時常熬夜，但成績一直沒有起色。他每天睡眠時間不到八小時，上課時常常思緒放空，無法專心，下課只好去補習，但總是記不住老師教的，他十分沮喪。**我的診斷：長期過敏性鼻炎，可能合併睡眠呼吸中止症**，睡眠不足加大腦缺氧。

過敏性鼻炎：自我診斷

氣管與鼻腔都是呼吸道的一部分，因此以兒童而言，過敏氣喘與過敏性鼻炎這兩種疾病是同時存在的共病，只是每個人程度不一。根據研究，過敏氣喘病人八〇%會合併過敏性鼻炎，而過敏性鼻炎的病人則四〇%同時有過敏氣喘，可謂是「焦不離孟，孟不離焦」。

家長可以藉由下列表格，及早替孩子篩出過敏性鼻炎的體質，勾選兩項以上，表示您的孩子應該已經屬於過敏性鼻炎了。

請問你的孩子是否有下列至少兩項症狀？ 而且幾乎每天都發生一小時以上。	
1. 流鼻水	□是 □否
2. 打噴嚏	□是 □否
3. 鼻塞	□是 □否
4. 鼻子癢	□是 □否
5. 眼睛紅或癢	□是 □否

除了這些典型的鼻炎症狀之外，有經驗的兒科醫師常常會利用孩子的臉部特徵，來輔助判斷過敏性鼻炎的嚴重度。這些臉部特徵包括黑眼圈、眼下皺紋（又稱為DM線）與鼻梁橫紋等，其中黑眼圈與眼下皺紋是因鼻塞，進而靜脈血流不通暢所導致，鼻梁橫紋則是反覆揉鼻子的後果。

不過為了排除其他的鼻腔疾病，左頁這個表格可讓家長先排除其他需治療的問題，需由醫師來進一步評估。

一般來說，醫生不會在兩歲之前診斷過敏性鼻炎，因此幾個月大的小嬰兒鼻塞，呼吸有痰音，第一時間並不會用過敏性鼻炎來解釋。當然「兩歲」這樣的分水嶺或許太過武斷，有些幼兒黑眼圈愈來愈深，呼吸雜音愈來愈重，家裡又都有過敏體質，或許也代表了他正慢慢走向過敏性鼻炎的路，可以先採取環境的控制（詳見P.79），可考慮先不急著用藥。

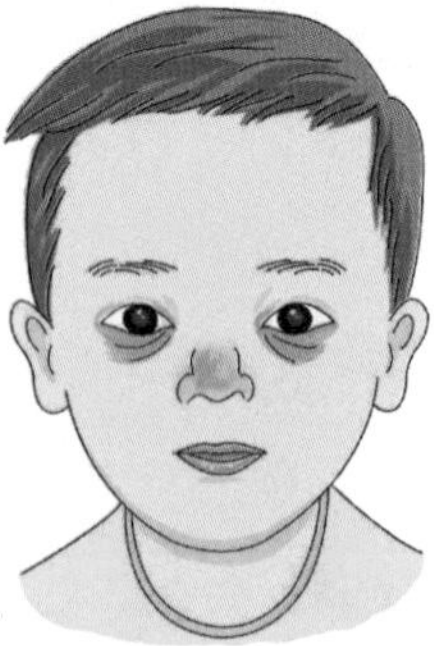

▲ 黑眼圈與不符合年齡的眼下皺紋

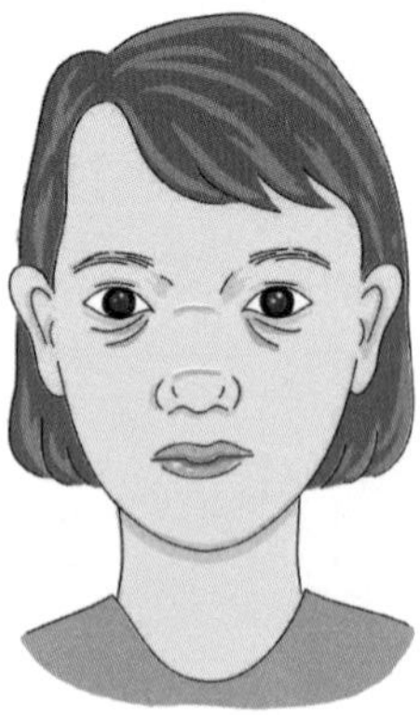

▲ 時常揉鼻子導致的鼻梁橫紋

不單純是過敏性鼻炎的症狀列表	
1. 只有單側的鼻孔流鼻涕	□是 □否
2. 只有鼻塞，其他症狀統統都沒有	□是 □否
3. 黃綠膿鼻涕很久了	□是 □否
4. 臉頰會痛	□是 □否
5. 有流鼻血，其他症狀統統沒有	□是 □否
6. 失去嗅覺	□是 □否

過敏性鼻炎什麼時候需要治療？

確定孩子有過敏性鼻炎之後，也不見得需要立即用藥。醫生會進一步問問題，以了解疾病的嚴重度：

1. 症狀是否影響睡眠品質？
2. 症狀是否影響平常生活和各式各樣的運動？
3. 症狀是否影響上學和上班，包括專注能力？
4. 是否太頻繁吃類似「希普利敏液」、「勝克敏液」等抗組織胺藥物？

另外，兒童反覆流鼻血，也常常是過敏性鼻炎惹的禍。當鼻塞、鼻涕、鼻子癢等症狀，一個禮拜至少有四天發作，並且已經連續超過一個月，影響睡眠品質、生活品質、專注力，與過度的使用抗組織胺藥水，就代表應該開始使用長期保養藥物，也就是低劑量的「類固醇鼻噴劑」，連續使用兩個月左右。

過敏性鼻炎千萬別置之不理

持續性的過敏性鼻炎如果放任不管，可能會造成下列的不良後果：

慢性過敏性鼻炎對兒童的影響：	
❶ 黑眼圈	因為鼻腔血流阻塞。
❷ 口臭	時常張嘴呼吸，導致口腔細菌滋生。
❸ 蛀牙	時常張嘴呼吸，導致口腔細菌滋生。
❹ 反覆口角炎	時常張嘴呼吸，導致口腔細菌滋生。
❺ 齒列不整	時常張嘴呼吸，導致下巴骨骼發育異常。
❻ 反覆流鼻血	鼻黏膜充血，揉鼻子摳破小血管。
❼ 反覆中耳炎	免疫低下，呼吸道細菌易入侵。
❽ 反覆鼻竇炎	免疫低下，呼吸道細菌易入侵。
❾ 注意力不集中／過動傾向／情緒不穩	睡眠不足，或鼻癢造成分心。

所以，**過敏性鼻炎千萬別置之不理**，長期不處理的話，是會造成全身性的健康危害。

過敏性結膜炎

大部分的過敏性結膜炎，都會和過敏性鼻炎一起出現，因此只要把過敏性鼻炎控制得當，有一半的過敏性結膜炎也會跟著痊癒。過敏性結膜炎的症狀包括：眼睛癢、眼睛紅、時常流眼淚以及畏光，長期揉眼睛的結果，也會讓眼皮看起來泡泡腫腫的。

過敏性結膜炎的用藥，與過敏性鼻炎的用藥，我們在下一節一併討論之。

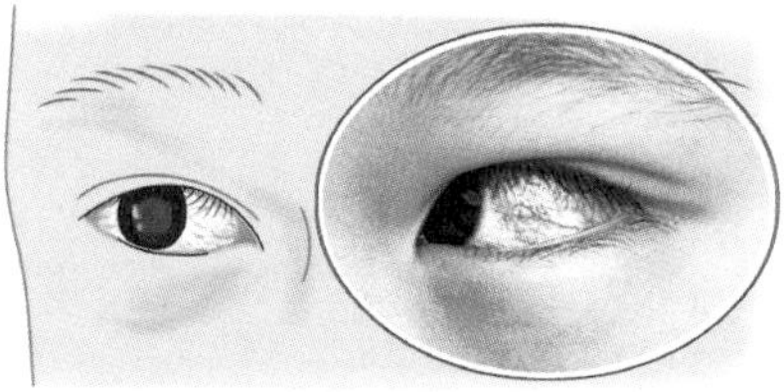

▶ 過敏性結膜炎

番外篇

不只是鼾聲……是睡眠呼吸中止

您的孩子睡覺時會打鼾嗎？剛升上二年級的阿宏也會。他的打鼾歷史已經超過三年，三年前醫生就已經診斷他有過敏性鼻炎，但當時阿宏的媽媽不以為意，畢竟全家打鼾最大聲的還另有他人（就是枕邊那一位）。

然而最近阿宏的症狀愈來愈嚴重，晚上睡覺除了打鼾，更是翻來覆去睡不好，必須要墊高好幾個枕頭才能睡著。白天的時候，阿宏總是張嘴呼吸，成績不好，被老師說有注意力不集中的症狀，媽媽終於覺得不對勁，決定來看醫生。

睡眠呼吸中止症

輕微的打鼾，跟睡眠呼吸中止症，其實只有一線之隔。如果您家的孩子會打鼾而睡不安穩，其中大約有一至五％，可被診斷為睡眠呼吸中止症，通常年齡在二到八歲之間。當然，任何年齡都可以發生，在我的經驗中，青春期的孩子其實也很常見。

呼吸道就像是高速公路，從基隆到高雄，時常塞車的位置總是那幾個地方。呼吸道堵塞通常發生在四個大關卡：**第一關，是過敏性鼻炎所造成肥厚的鼻甲；第二關，是一個叫做腺樣體的淋巴組織；第三關，是大家所熟悉的扁桃腺；第四關，則是肥胖兒童的脂肪組織**。睡眠呼吸中止症的孩子，大多數就是這四個容易塞車的路段，其中一、兩個關卡堵住了。

這也可以解釋為什麼二到八歲，是呼吸中止症的好發年齡，因為這個年紀剛好也是腺樣體和扁桃腺最臃腫的時期，而且是「每

鼾聲雷動 - 堵塞兒童呼吸道的四道關卡

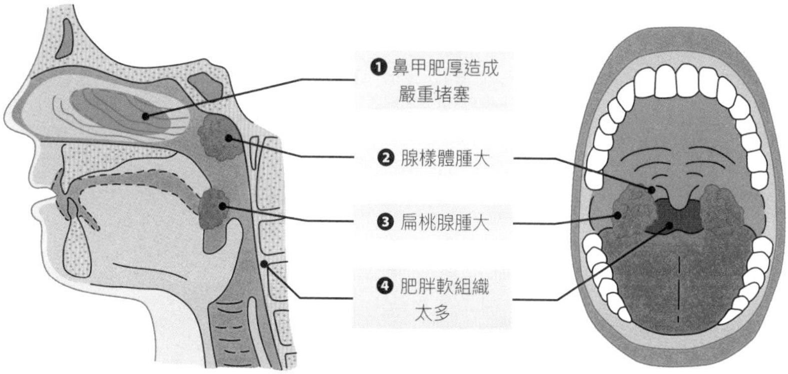

個孩子」都會相對腫大，只是其中腫得特別肥大的少數孩童，就會堵塞呼吸道而影響睡眠。

不只是睡覺打鼾而已

隨著睡眠時腦部缺氧，睡睡醒醒，這些孩子許多器官的功能都會受到影響，首當其衝的就是大腦。晚上沒睡飽，白天時常抱怨頭痛，看似精力充沛，實際上是大腦在硬撐的過動症，製造出更多的衝動行為、暴力行為，被老師點名注意力不集中，這些都是睡眠呼吸中止的併發症。嚴重的孩子學習成績不好，記憶力衰退，甚至會造成右心肥厚的心臟問題。

有些孩子不只是晚上鼻塞，白天也嚴重鼻塞，永遠是張嘴呼吸，鼻子掛在臉上只是裝飾品。他們時常口乾舌燥，說話帶有濃濃的鼻音，其他包括蛀牙、口臭、口角炎等問題，也都會一起困擾著家長。

睡眠檢查是最準確的診斷方式

如果家長發現孩子的確有上述的症頭，擔心真的是睡眠呼吸中止症，最準確的診斷方法，就是「到醫院睡一覺」。目前許多醫院都有睡眠中心，如果是兒童醫院，可藉由兒童睡眠檢查（Polysomnography）來判讀兒童的睡眠障礙。

不過有些孩子到醫院會害怕，睡在不認識的地方沒有安全感，半夜一直驚醒，這樣影響判讀也不是辦法。因此有些醫生會請家長用「錄影」的方式，來提供孩子居家的睡眠情況，雖然準確度稍差，但勉強可以接受。還有人會用一般掛在手上的睡眠偵測器來輔助診斷，但是這可能不是最好的工具。

國際的診斷標準很簡單：一、孩子有符合上述睡眠呼吸中止的部分症狀；二、睡眠檢查發現每個小時至少堵塞一次，或超過四分之一的時間，體內二氧化碳濃度過高。這兩項都符合的話，就應該要積極處理了。

不一定要手術，但也不要逃避手術

對於輕度至中度的睡眠呼吸中止兒童，以鼻噴的低劑量類固醇，搭配白三烯素接受器拮抗劑（欣流類藥物），一個月之後幾乎都可以減緩症狀。如果過敏性鼻炎是主要的問題，趕快把本章內容看到最後，改善把環境與生活習慣調整好，這樣復發的機率就會降低。

若經過數月的觀察期而不見改善，這時候遵從醫師的建議，手術切除腺樣體和扁桃腺，或擇其一切除，是最快速的改善方法。兒童相較於成年人，並不適合戴呼吸面罩睡覺，因此這種乾乾淨淨的切除手術，其實副作用反而低。很多孩子手術之後，安安靜靜的睡了一大覺，父母親不太習慣，半夜還去探探孩子的鼻息，怕他睡死了呢！

▲ 打呼與睡眠呼吸中止症

06 過敏性鼻炎與結膜炎的用藥與治療

過敏性鼻炎與結膜炎的照護，同樣分為藥物治療，與環境飲食調整，在本節我先跟各位介紹用藥的部分，環境與飲食的調整放在本章的最後一節。

過敏性鼻炎用藥分短期症狀治療，和長期保養兩種不同的方向，短期症狀治療就是讓孩子暫時舒服，晚上不鼻塞睡個好覺，不再狂流鼻涕「包餛飩」，但並不能真正降低鼻黏膜的發炎，同樣是治標而不治本。長期保養的藥物，最常使用的是低劑量類固醇鼻噴劑，開始使用後，持續二至三個月不間斷，即便症狀穩定也不停藥，才能真正讓黏膜完全消腫不復發。

1. 抗組織胺：

身體裡有一種和過敏症狀息息相關的物質，名字叫做「組織胺」。許多的過敏症狀，從流鼻涕、打噴嚏、鼻子癢，甚至造成皮膚癢的蕁麻疹，都是組織胺闖的禍。因此「抗組織胺藥」這家喻戶曉的老藥，多年來總是被認為是治療過敏的首選藥物，一般藥局都買得到。

口服抗組織胺藥有兩種：第一代的短效型抗組織胺（如希普利敏液、Benadryl……），以及第二代的長效型抗組織胺（如勝克敏液、艾來錠、驅異樂錠、Claritin……）。第一代抗組織胺藥通常一天要吃三到四次，比較會有嗜睡的副作用，而第二代長效型抗組織胺藥，通常一天只要吃一到兩次，嗜睡副作用也少很多。

目前研究比較起來，容易造成嗜睡的第一代抗組織胺藥，其療效並不會比第二代好，因此我個人還是偏好第二代藥物，以減少副作用。第二代抗組織胺藥還有一個好處，就是對嚴重的過敏病人，醫生可以暫時將劑量提高，把惱人的症狀快速緩解，又不至於因嗜睡而影響正常生活。少了副作用，家長也可以在孩子生病時，更方便觀察精神活動力。

當然，如果想藉由嗜睡副作用，讓孩子安穩不要哭鬧，那又是另一種考量。只是要提醒家長，對大腦正在發展的兒童來說，長期使用第一代藥物，難免會擔心影響大腦的認知與學習。

不論是第一代或第二代抗組織胺，對鼻塞症狀都是沒效的。鼻塞嚴重的病人，就需要另一種「去鼻充血劑」來症狀治療。

2. 去鼻充血劑：

去鼻充血劑一般是含有類麻黃素，可以讓鼻塞充血得到緩解。不過，從「類麻黃素」這個名稱可知，去鼻充血劑的副作用不少，有些人吃了會心悸、手抖、坐立不安和失眠等，目前並不建議使用在兩歲以下的幼童。如果你的孩子吃了含有類麻黃素的感冒藥之後（如鼻福糖漿），出現精神亢奮睡不著，很有可能就是藥物的副作用。

市面上還有一種成年人使用的「歐X鼻去鼻塞噴劑」，標榜五分鐘舒緩鼻塞，立即見效。這一種鼻塞噴劑的確很有效，偶一為之，重要場合使用，很不錯。但這類型藥物不能天天噴，長期使用鼻塞會愈噴愈嚴重，因此兒童不宜，成年人也需謹慎使用之。

長期保養藥物

用了急性期緩解藥物（抗組織胺、去鼻充血劑）暫時緩解症狀之後，過敏性鼻炎真正需要的長期保養藥物，就是低劑量類固醇鼻噴劑。類固醇鼻噴劑的劑量極低，每一噴約是口服劑量的五百分之一，真正吸收到身體的劑量大概是口服的十萬分之一，就算孩子一次把整罐喝下去，都還不到口服的有效劑量，因此完全不需要擔心會影響生長發育。

當診斷過敏性鼻炎後，確認症狀嚴重度已影響生活品質、睡眠品質，就會開始建議使用類固醇鼻噴劑保養，連續二至三個月不間斷，請不要自行停藥，即便是一般感冒時也不需暫停。使用類固醇鼻噴劑一段時間之後，對於打噴嚏、流鼻水、鼻塞、揉鼻子、黑眼圈等症狀皆有效果，是治療過敏性鼻炎的最佳選擇。

噴藥期間，家長同步進行環境與作息的調整，三個月後待鼻黏膜已經完全消腫，就可以停藥了。停藥之後，若持續維持良好的環境與飲食控制，基本上不容易復發，但若空氣品質與孩子作息都沒改善，大約半年左右鼻塞又上身，只好拿出類固醇鼻噴劑，再噴兩個月。

雖然類固醇鼻噴劑沒有嚴重副作用，但局部副作用還是有的，比如說長期使用半年以上，有些孩子鼻黏膜會變薄，重新開始流鼻血。一般來說，過敏性鼻炎嚴重時，因為鼻子癢，常常會半夜摳到流鼻血，但經過類固醇鼻噴劑治療後，漸漸流鼻血症狀就改善了；痊癒後忘記停藥，繼續噴鼻藥超過半年，則又會因為黏膜太薄，出現流鼻血的情形，趕快停藥就好了。

還有一個罕見的副作用，就是長期使用後，會造成眼壓升高。雖然發生率極低，但如果孩子使用類固醇鼻噴劑超過半年後，抱怨眼睛不舒服，可以請眼科醫師評估，並且暫停藥物。

但通常若家長環境控制得當，一般孩子不論是過敏氣喘的類固醇吸劑，或是鼻炎的類固醇鼻噴劑，都可以順利在三個月內停藥，上述的副作用也幾乎不會發生。

正確使用鼻噴劑的方法

❶ 如有鼻涕請將鼻孔中的鼻涕輕輕擤出。

❷ 取出瓶蓋，搖晃鼻霧藥品，將食指和中指放在噴劑兩側，拇指放在瓶子底部。

❸ 按壓鼻霧藥品的同時，噴劑不需要「完全」放在鼻孔內，但噴頭也「不能」在鼻孔外。

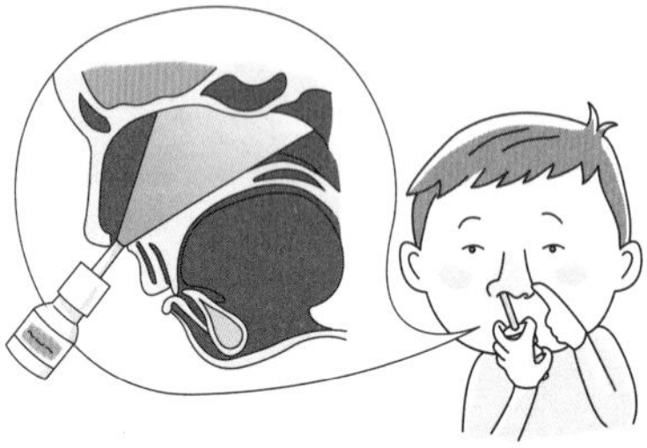

❹ 鼻噴劑插入鼻孔後，想像是往「同側耳朵方向噴射」，而非「往眼睛方向噴」，才是正確的使用方法。將噴劑的瓶身傾斜 45 度，將可噴到大部分的鼻腔，達到最大的療效。若將噴劑直立的放入鼻孔時，只能噴到一小部分的鼻腔。

❺ 噴霧時另一手的食指壓住另一個鼻孔，輕輕將藥劑吸入鼻腔。另一個鼻孔則重複相同步驟。

其他治療

除了類固醇鼻噴劑之外，藥物治療還有一個選項就是「減敏治療」。減敏治療的原理，就是把塵蟎抗原（或其他過敏原）反覆的用皮下注射、鼻腔給予，或者舌下吞嚥的方式，讓身體愈來愈習慣於暴露這些過敏原，進而產生減敏的效果，在某些醫療院所會有專門的減敏治療門診。

然而不論是皮下減敏，或者鼻腔／舌下減敏，治療時間都非常冗長（三年以上），並且有時候會突然引發過敏反應。因此，目前塵蟎減敏治療，仍是保留給在傳統的藥物治療皆無效果時，才會選擇使用。請注意，五歲以下的小孩並不建議給予減敏治療。

同樣的原則也適用於鼻腔雷射手術，除非經過傳統治療皆無效，或者鼻中隔有嚴重彎曲，長了贅瘤，或者嚴重感染等等特殊狀況，才會採取雷射手術或開刀處理。手術也並非萬靈丹，若環境與生活作息不改變，一樣會再復發，功虧一簣。

其他民俗療法，包括針灸／貼、紅外線光波刺激、益生菌等，都不是主流的治療方式，並沒有太好的實證研究佐證其效果。當然，有人因為搬家到空氣清新的地區，每天規律運動，吃健康的食物，過敏性鼻炎自然不藥而癒，自然完全不需藥物介入。但別讓「完美」成為「足夠好」的敵人（Don't let "Perfect" be the enemy of "Good"），像我住在都市叢林裡，每年噴兩個月的類固醇鼻噴劑，讓呼吸順暢，減少吃藥，就已經「足夠好」了，別太貪心。

✓過敏性鼻炎的藥物治療

藥物	外觀	使用方法	副作用
㈠短期症狀治療藥物			
❶短效抗組織胺		一天四次	嗜睡，食欲增加。
❷長效抗組織胺		一天一次到兩次	輕度嗜睡。
❸鼻噴型抗組織胺		一天兩次	味道很苦。

❹ 抗鼻充血劑		一天三到四次	兩歲以下少用。心悸、手抖、坐立不安、失眠。
㈡ 長期保養藥物			
❶ 類固醇鼻噴劑		一天一次或兩次。（使用方法如P.240。）	長期使用（六個月以上）可能會流鼻血，少於一%的人會暫時眼壓升高。
㈢ 其他治療			
❶ 減敏治療	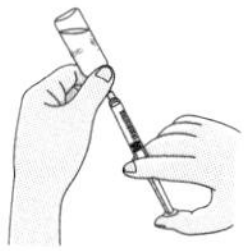	從每週注射一次逐漸遞減，療程三到五年。	治療過程太冗長，偶爾有急性過敏危險。傳統治療無效的選擇。
❷ 鼻腔手術	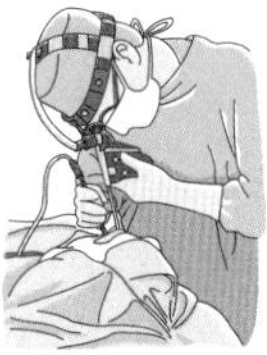	內視鏡雷射手術。	術後疼痛。傳統治療無效的選擇，年齡至少十歲以上。

番外篇 洗鼻子全攻略！誰需要洗鼻子？

台灣的空汙問題暫時是無解，門診許多家長抱怨孩子反覆鼻塞，用手電筒往鼻孔一探，發現鼻黏膜還好，但鼻屎超多。身處在這麼汙染的空氣環境，孩子每天在戶外活動，鼻腔黏膜上附著各種懸浮粒子實屬難免，也因此洗鼻子成為都市生活中必備的技能之一。

洗鼻子除了可將鼻腔髒東西與黏液沖洗掉之外，也可以讓鼻腔纖毛再度活絡起來，算是不錯的「治標」方法。但洗鼻並非萬靈丹，若主要鼻塞的問題是過敏性鼻炎控制差，鼻黏膜腫脹難消，這種狀況下洗鼻則一點效用也沒有，應搭配類固醇鼻噴劑治療才有幫助。

如何洗鼻？用文字描述實在太沒有畫面感，請大家看這段 YouTube 影片，介紹三種洗鼻的方式。

▲ 三種洗鼻的方式

市面上洗鼻鹽產品很多，不過根據研究顯示，不論沖洗使用的是海鹽、生理食鹽水、還是清水，洗鼻子的效果都差不多。所以選購的重點，應該是孩子可以接受的液體，不會害怕，肯讓您每天清洗個兩次，就是最適合的產品。

使用鼻噴霧後，記得先輕輕搓揉一分鐘，讓鼻腔的髒東西徹底稀釋後，再讓孩子自己擤出來，或是用吸鼻器幫助清理。至於洗鼻機每次使用肯定會超過一分鐘，鼻腔通常已經徹底溼潤；年紀較大的兒童可自己擤出來，幼兒則用吸鼻器把髒東西移除。不管用什麼方法，過程一定要溫和愉快，如果有死命掙扎或哭鬧的情緒，反而造成兒童心理創傷，甚至鼻黏膜受損，反而得不償失，不如不用。

如何自製洗鼻液？

洗鼻液可以自己製造嗎？當然可以。做法如下：

❶ 使用一公升的溫開水。

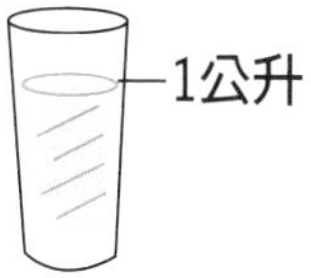

❷ 加上兩茶匙的無碘鹽。

❸ 再加一茶匙的小蘇打粉。

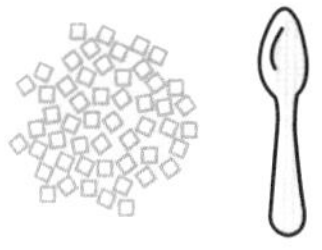

如此泡製成一瓶自製的洗鼻液，可以添加在蒸鼻器或沖洗器裡頭，最好三天更換一次。

✔洗鼻工具與使用方式（也可參考前面 YouTube 影片）

器具	外觀	使用方法	附注
❶ 鼻噴霧		噴霧後搓揉一分鐘以上，再請孩子自己擤出來，或是用吸鼻器幫助清理。	不要沖力太強，年紀較小的幼兒可能會抗拒。
❷ 洗鼻機	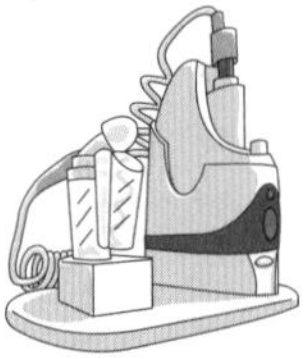	使用生理食鹽水，或自製洗鼻液霧洗，再請孩子自己擤出來，或是用吸鼻器幫助清理。	時間太久，小孩可能會不耐煩。
❸ 鼻沖洗器		使用生理食鹽水，或自製洗鼻液沖洗，左鼻孔入，右鼻孔出。使用口訣：「**頭往前低、嘴巴打開、不要說話、不要吞嚥。**」	嚴重鼻塞者很難配合，必須先治療至鼻塞緩解後才使用。

07 過敏氣喘／過敏性鼻炎的環境控制與飲食指南

第一章開宗明義，跟大家提醒過敏三元素，分別為：1.過敏原。2.化學物質。3.物理刺激。以過敏氣喘為例，所謂的「**過敏原**」就是塵蟎、黴菌、狗貓皮屑、蟑螂……這些生物的蛋白質；「**化學物質**」則是菸、香、揮發性有機化合物、加工品中的塑化劑、防腐劑、香精、人工色素、反式脂肪等不是自然界會出現的東西。

至於「**物理刺激**」，指的是像喝冰水、乾冷空氣等等。很多人一提到過敏氣喘或鼻子過敏，直接聯想到的就是「不能喝冰水、早起圍圍巾、出門戴口罩、冷天不出門……」，但這些溫溼度的改變，僅僅是誘發氣喘或過敏的因素。只要乖乖聽醫師的話，藉由藥物與環境控制，打造好強壯的體質，**即便像我這種資深過敏氣喘病患，也一樣可以喝冰水，進出冷氣房不會打噴嚏。**

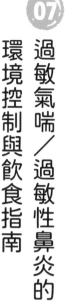

以下就針對減少居住環境中的過敏原，與減少生活中的化學物質來介紹。

避免吸入過敏原：抗蟎與抗黴菌

在台灣，過敏性鼻炎或過敏氣喘的孩子，主要面對的過敏原是誰呢？不需抽血檢驗，可以直接告訴各位結果：百分之九十九都是「塵蟎、黴菌、狗貓皮屑、蟑螂」這四項之一。尤其如果家中沒有養狗、養貓，也沒有養蟑螂，那敵人就只剩下塵蟎與黴菌，因此過敏的居家環境控制第一步，就是降低這兩種過敏原的暴露量。

但讀者中若有住海外的朋友，尤其是在乾燥的溫帶氣候國家，塵蟎與黴菌的重要性就大幅降低，反而多加「花粉」這一項過敏原，此時環境控制的對策就跟住在台灣的家庭很不一樣。

塵蟎非常非常小，直徑只有〇．〇三公分，肉眼幾乎看不見。台灣七五％以上的家庭存在塵蟎，所以其實我們都在養小寵物——上百萬隻的塵蟎！塵蟎的食物是人類或寵物所掉落的皮屑，因此在床鋪、枕頭、沙發、抱枕、懶骨頭中特別多，而且不只是活的塵蟎，那些塵蟎屍體、糞便、卵與尿液，也都是呼吸道的過敏原。孩子一上床，跳來跳去，翻翻滾滾，吸入比平常空氣中多十倍的過敏原，當然會「一到晚上就咳嗽」，「躺在床上就鼻塞」。

抗蟎經驗❶：洗床單、吸塵器，必需但成效有限！

大部分的家長第一個抗蟎動作是：勤洗床單和枕頭套。可惜的是，這樣勞心勞力的洗床單方法，效果實在有限。

由於一般床單枕頭套所使用的織布，其孔徑遠遠超過這些惱人的塵蟎軀體與碎片，因此當媽媽辛苦的洗烘床單之後，小孩上床蹦跳兩下，塵蟎與黴菌的碎片又從床墊裡頭飄出來，誘發過敏症狀。

除蟎機拍打清理床鋪，只能拍出淺層的過敏原，但那些因地心引力沉積在床墊底部、卡在棉被或枕心深處的塵蟎或黴菌，還是很難清除，只能說盡力而為了。為了避免這些細小的碎片飄散在空中，吸塵器的濾網必須具備「高效微粒空氣過濾」等級（HEPA, High-Efficiency Particulate Air）才足夠。

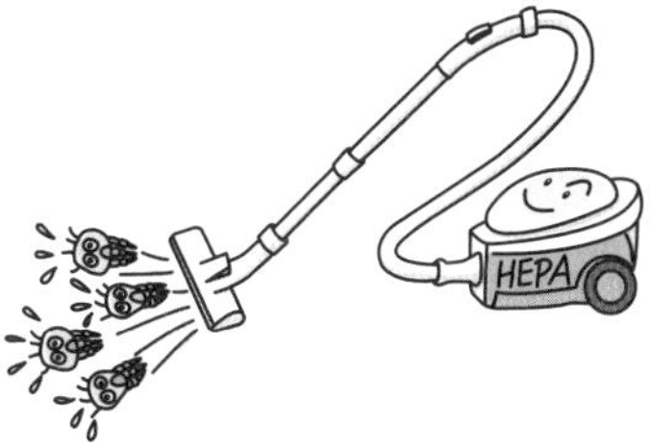

抗蟎經驗❷：最佳防蟎利器——全罩式防蟎床套

防蟎床套的原理是藉由緊密的紡織法，將布料的孔洞縮小到〇．〇〇一公分以下，不僅塵蟎的身體，連蟲卵與排泄物也不易通過。這樣一來，原本床墊的塵蟎就沒辦法再跑出來，而新來的塵蟎也無法進入床墊中，只能在床鋪表面遊走，這時候再用吸塵器把表面的塵蟎吸乾淨就搞定了！

物理性防蟎床套，有分為純棉與化學纖維製造的兩種。純棉材質的觸感、透氣性都比較好，但是因為需要常清洗，所以孔洞會隨著水洗或小孩蹦跳而愈來愈大，可能兩三年就要替換。

化學纖維的防蟎床套比較耐洗，洗完孔洞也不易變大，但是隨著品質差異，有些產品觸感不好，睡覺翻身時會摩擦出擾人的沙沙聲，或透氣性不佳，會有悶熱的問題，購買前最好先找有經

防蟎套的原理與使用方法

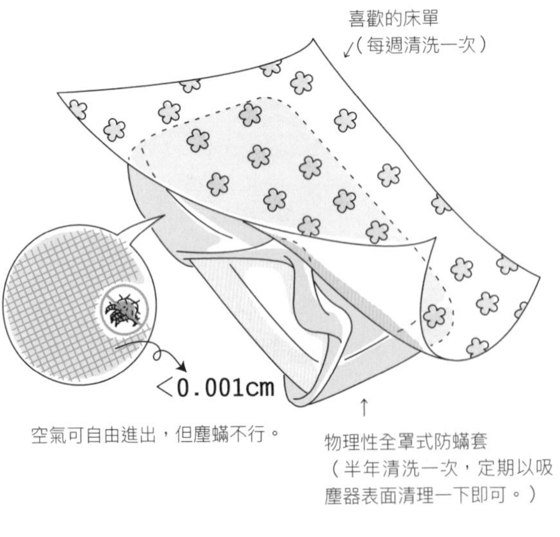

喜歡的床單
（每週清洗一次）
<0.001cm
空氣可自由進出，但塵蟎不行。
物理性全罩式防蟎套
（半年清洗一次，定期以吸塵器表面清理一下即可。）

驗的朋友推薦或試用。記得防蟎套都是全罩式的，半罩式在設計上就令人疑惑，因為床墊底層的蟎還是會飄出來。

套上防蟎床罩、被套與枕套之後，可以再包覆一層喜歡的床單、枕頭套、棉被套，只要定時清洗最外層的布料，防蟎套可以半年洗一次，平常吸塵器吸一吸就可以了。

抗蟎經驗❸：回到祖母的睡眠環境

家長曾經詢問，防蟎床套、除溼機都不便宜，是否有便宜的方案？其實是有的。大家可以想一想，我們住在潮溼悶熱的台灣，卻把北方乾燥氣候文化的軟床，軟枕頭，布沙發都帶入生活，要享受這些軟綿綿的東西，就必須付出一些代價。因此如果想花少少的錢，打造不容易累積塵蟎的環境，答案就是回到祖母的睡眠環境。

古早時候台灣一樣悶熱，大家坐藤椅、躺竹蓆、睡綠豆枕，塵蟎當然就不容易滋生。木板床鋪一層薄被，或薄的記憶床墊，定期清洗，就不會有太多的過敏原滋生。不使用厚被子，改用多層薄被，分別定時清洗，就不需要套防蟎被套。

用毛巾捲成枕頭，定期清洗毛巾，也就省了防螨枕套的錢。

清洗上述毛巾、薄被、床單前，可先用熱水泡十五分鐘，再丟進洗衣機洗淨後烘乾，連塵螨的分泌物、尿液、糞便都能一次清潔乾淨溜溜。

抗螨經驗❹：人不在室內，溼度低於三十五度

室內溼度超過七十度，塵螨、黴菌就會繁殖，反之若低於三十五度，塵螨就會脫水死亡，黴菌也淹淹一息。所以除溼的重點是「每天有一段時間讓室內溼度低於三十五度」。

除溼時，人不需要在房間裡，太乾燥的環境反而造成呼吸道不適。每天將臥房定時除溼幾個小時，確定有低於三十五度，人回到房間裡時，將溼度調回舒服的五〇至六〇%之間即可。如果除溼機始終無法將溼度降到三五%，表示除溼機功率太低，房間太大，可能要換功率更高的機器。

至於空氣清淨機，可以淨化空氣中的致敏微粒，例如香菸、蚊香、汽車廢氣等，如果家裡養寵物，空氣清淨機更是

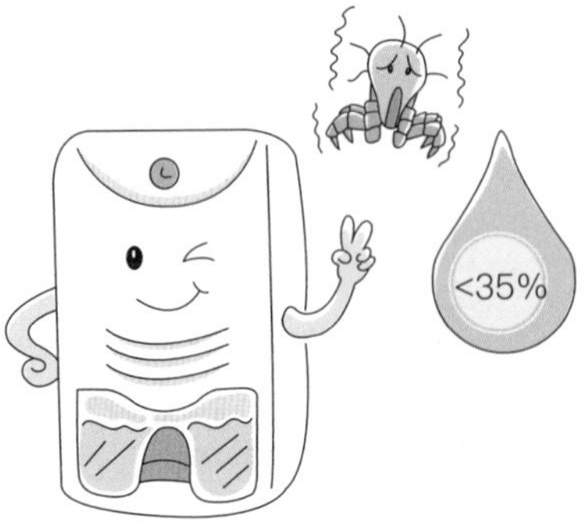

要多擺幾台，減少動物皮屑在空中飄散。安排孩子睡覺的房間不讓寵物進入，也是另一個可以減少過敏症狀的方法。

抗蟎經驗❺：地毯、布沙發、抱枕、懶骨頭、絨毛玩具

潮溼悶熱的亞熱帶氣候，地毯每天吃我們的「腳皮屑」，不累積黴菌塵蟎簡直是天方夜譚。除此之外，布沙發、抱枕、懶骨頭等，也都是皮屑累積的好地方，這些軟綿綿的東西，能移除最好都處理掉。

布沙發改成皮革沙發，或單純使用木製家具。若沙發、抱枕、坐墊捨不得丟，可以訂做特製防蟎套包覆裡層。若不在意透氣度的話，裡層用塑膠袋包覆也可以。

絨毛玩具需定期洗與烘，一定要烘到乾，光是曬太陽核心常常會曬不乾，溼氣又促使黴菌生長。不常玩的絨毛玩具請收納起來，或者用漂亮的玻璃紙包起來展示擺設。

抗黴經驗❻：看到黴斑立刻處理，家電要清洗

居家牆壁、浴室、磁磚隙縫、家具、冰箱襯墊等地方，如果發現錢幣般大小的黴斑，應盡速予以清除，以漂白水擦拭及保持乾燥即可。較大面積之黴斑，通常可使用如酒精、漂白水等居家常用之消菌劑，盡量選擇在有抽風設施的地方操作。牆壁漏水長壁癌，一定要積極處理。

當然，別忘了臥房每日定期除溼的計畫，每天人不在臥室時，讓溼度保持三五%以下一段時間，持之以恆，才能避免孩子的健康也「發黴」了。冷氣、電扇等等家電，也應每週清理冷氣及濾網，以去除灰塵與黴菌，並每兩年清洗一次冷氣主機。

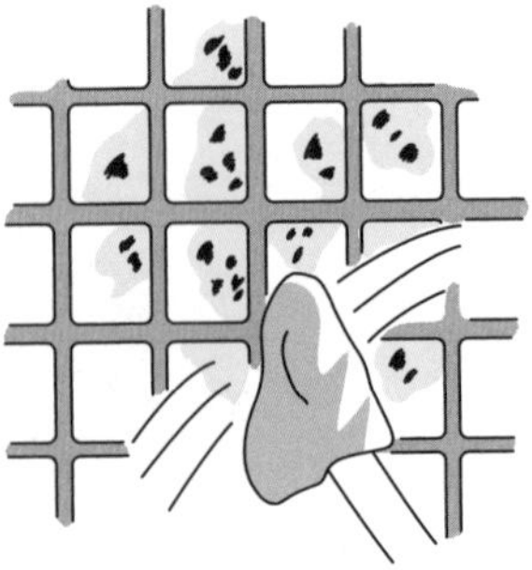

除蟑經驗❼：去除居家蟑螂肆虐

四大呼吸道過敏原的塵蟎、黴菌處理完畢之後，再來提醒蟑螂也是台灣四大過敏原之一。以下是基本的生活常規：

1. 有洞堵起來：廚房浴室的排水口，睡前都要用蓋子封住。

2. 不給蟑螂食物吃：桌上不要留食物。

3. 定期定點施放滅蟑餌劑：但是要非常小心，不要讓嬰幼兒因好奇而誤食。

有洞堵起來

不給蟑螂食物吃

定期定點施放滅蟑餌劑

寵物經驗❽：狗貓不棄養，放置清淨機

在第一章我提到有過敏體質的家庭，請不要棄養寵物。若孩子有呼吸道過敏，只需要多放置幾台空氣清淨機，並且規定毛小孩不要進臥室，基本上就可以了。當然毛小孩要定期給獸醫師檢查，定期幫牠洗澡，就不會皮屑滿天飛，引發孩子的過敏氣喘或鼻過敏啦。

拒絕空氣汙染：避免吸入化學物質

有從頭詳細閱讀本書的讀者，應該知道此時我又要開始苦口婆心，勸大家不要再抽菸、燒香、點蚊香和燒精油了。

關於二手菸，很多爸爸以為去陽台抽菸，或者在抽油煙機下抽就沒事，但如果窗戶沒關，抽菸的人要離開建築物五公尺以外，化學物質才不容易飄入家中。除此之外，就算只是「沒人在家的時候抽」，別忘記家庭的地毯、牆壁、家具，也依然會殘留燃燒菸草後的化學物質，此即所謂「三手菸」。這些危害於無形的「三手菸」，會在室內停留很長一段時間，讓嬰幼兒在不知不覺中接觸或是吸入這些有毒物質。

不管是二手菸，或是三手菸，還是神壇的一炷香，都會誘發、惡化，或難以控制呼吸道過敏。萬一戒菸、戒香這件事，已經造成家中的爭吵，甚至要鬧革命了，為了維護家庭圓滿，那也只好退而求其次，添購多台醫療級的「HEPA 高效微粒空氣過濾」的空氣清淨機。購買空氣清淨機時，請不要太節省，基本上經濟許可的話，功率愈大愈有效果。

其他吸入型內在誘導物包括帶有甲醛味的家具、裝潢的油漆味、洗髮或染髮的香精、香水和油煙等。同樣的道理，能去除者盡快去除，不能去除則利用空氣清淨機來淨化。

戒掉垃圾食物：避免吃進化學物質

呼吸道過敏的孩子，不能吃零食、飲料、速食，以及含香精或反式脂肪的麵包。

根據兒童氣喘及過敏國際研究組織（The International Study of Asthma and Allergies in Childhood，簡稱 ISAAC）二〇一三年的一項研究，追蹤共五十萬名大大小小的兒童，記錄他們的飲食狀況，發現所有食物當中，會誘發過敏氣喘、溼疹、鼻炎最大的兇手就是垃圾食物！每週吃三次以上的垃圾食物，會讓青少年嚴重過敏氣喘的機會增加三九％、兒童增加二七％的風險，對於過敏性鼻炎、異位性皮膚炎的嚴重度也都有顯著增加。其他對青少年過敏體質不好的食物包括乳瑪琳、牛油、劣質乳酪製成的義大利麵與披薩。

這些不好的食物似乎都有幾個共同點：很油、很鹹、很香。那些香噴噴麵包所含的反式脂肪酸，以及各式各樣提升口感的食品添加物，雖不直接導致過敏，卻能點燃過敏的基因，讓各種過敏疾病都惡化。其他的研究也發現，零食飲料中的人工色素、防腐劑等化學物質，也會使過敏疾病惡化，怪不得門診的小朋友只要吃一包零食，當天晚上馬上就咳嗽了起來。

可吃水果、青菜、雞蛋、瘦肉、牛奶

別誤會是「甜味」使孩子咳嗽，真正的兇手其實是人工添加物。甜味不見得都是壞的，台灣很多家長誤以為「水果性寒」，不敢給過敏的孩子吃，其實是大錯特錯。對過敏有益的食物，在六歲到七歲兒童組是水果、雞蛋、瘦肉、牛奶和燕麥，其中以水果的效果最棒。至於青少年組，則是青菜、水果、牛奶，對過敏體質很好。整體來說，每週吃三次或更多水果，可讓青少年減少一一%，兒童減少一四%發生嚴重症狀的機會。

水果中富含許多抗氧化劑，以及其他調節免疫的成分，對過敏的孩子有保護的作用。根據我個人的經驗，水果只要不是太冰，農藥不要太多，吃水果對氣管是很舒服的事情。

天然的食物很少會誘發過敏氣喘

呼吸道過敏的孩子空氣清淨很重要，但是與「吃」相關的過敏原卻不多，即便抽血檢驗顯示牛奶過敏、雞蛋過敏、水果過敏……等，大約九〇％都已經產生耐受性，吃過沒出現咳嗽症狀，就可以繼續吃。不過若家長細心觀察，發現某些食材孩子吃了以後容易咳嗽，那這種食物恐怕就要避開。

我小的時候，吃橘子會過敏氣喘發作，於是我好幾年都不敢再吃。長大後有一天我忍不住嘴饞，吃了一片橘子，發現已經不會有過敏反應，也因此這十幾年來，橘子不再是我的飲食禁忌。

另一個故事和芒果有關，我這輩子吃芒果從來沒有過敏氣喘發作過，然而就在某一年的芒果季，太多芒果放在冰箱，孩子都吃膩了，為了怕浪費，我以每日兩、三顆的速度，吃光了一整箱的芒果……，然後我就過敏氣喘了。吃太大量的芒果，誘發了我對芒果的過敏，恐怕要休息好幾年才能再享受芒果。

以上的故事是想告訴大家：天然的食物吃太多，也是有可能會誘發過敏氣喘的。但食物過敏不見得是永久不癒，一段時間不碰，免疫系統淡忘之後，還是可以慢慢吃回去。

暫時暖和鼻子與氣管：減少物理刺激

「**物理刺激**」指的是像喝冰水、吸入乾冷空氣等。很多人一提到過敏氣喘或鼻子過敏，直接聯想到的就是「不能喝冰水、早起圍圍巾、出門戴口罩、冷天不出門……」，但這些溫溼度的改變，僅僅是誘發氣喘或過敏的因素。

當過敏者用力吸入「乾」和「冷」的空氣，鼻腔與氣管會過度反應，過敏氣喘的症狀會發作，鼻子也立刻塞了起來。除此之外，喝冰水，吃冰棒的同時，也會造成氣管黏膜收縮，導致過敏氣喘發作，機轉與吸入冷空氣類似。

然而經過治療，與良好環境控制之後，呼吸道黏膜逐漸穩定，基本上冷和乾就不會再是個問題。因此若孩子吸到乾冷空氣，以前會發生的咳嗽鼻涕都沒有發生，或者喝了冰水都不咳嗽，皆可以作為過敏疾病控制良好的指標。

不過在過敏控制良好之前，我們還是希望呼吸道過敏者能保護自己，不要接觸到乾冷的空氣。比如說冬天起床時，先給孩子一個溫毛巾敷臉，讓他不會馬上接觸到乾冷的空氣，接著請他跑餐廳十圈，待身體暖和之後再拿下毛巾。出門時也請先戴口罩，不要快速的吸入冷空氣，直到身體發熱之後，再慢慢拿下口罩。平常喝水盡量常溫，不要太冰，水果從冰箱取出也等放涼再吃。

睡眠、運動、肥胖、壓力與感冒：其他過敏氣喘與鼻炎的安定因子

最後提醒五個過敏氣喘與鼻炎的安定因子：充足的睡眠、愉快的心情、適當的運動、合宜的體重，與做好個人衛生。

1. **睡眠：**很多青少年因為課業壓力大，熬夜加上心情不好，導致多年沒發作的過敏氣喘與過敏性鼻炎，竟然又捲土重來。睡眠不足的人，免疫系統亂糟糟，過敏當然不容易控制。
2. **運動：**不論是兒童還是成人，一週運動三次，每次至少三十分鐘的有氧運動，對整體的過敏氣喘症狀會有顯著的改善。若採取戶外運動，曬太陽也可提升體內維生素D濃度，有助於過敏的穩定。有關呼吸道過敏的孩子該如何選擇運動，在下一節的文章和大家介紹。

3. **肥胖：**腹部肥胖的兒童，過敏氣喘機率高出一般人一．六倍，對藥物的反應也較差，所以要藉由飲食與運動來控制合宜的體重。

4. **壓力：**過度的壓力造成全身發炎反應，許多青少年或成年人的壓力過大，會讓過敏疾病控制不佳。緩解生活壓力有一個簡單又非常有效的方法，就是與家人時常擁抱。

5. **感冒：**感冒是最容易引發過敏氣喘與過敏性鼻炎的起火點，因此頻繁的感冒，對於呼吸道過敏的孩子當然不是很好，也會造成控制不佳的印象。養成個人衛生習慣，公共場合戴口罩，接種流感疫苗，以降低感冒的機率。

✔過敏氣喘與鼻炎，呼吸道過敏的居家環境與飲食照顧：超完整攻略

一 清除居家過敏原
A 避開吸入過敏原：塵蟎、黴菌、狗貓皮屑、蟑螂
1. 洗床單、吸塵器：必需但成效有限！
2. 能丟的先丟：處理掉地毯、沙發坐墊、懶骨頭、絨毛玩具。
3. 捨不得丟？請用熱水浸泡：床單與絨毛玩具要用攝氏五十五度以上熱水浸泡之後，在清水中清洗並烘乾。
4. 最佳防蟎利器——全罩式防蟎床套。
5. 回到祖母的睡眠環境：木板床、薄墊子、薄被、毛巾枕。
6. 使用除溼機：人不在房間溼度控制在三五%以下，人在房間裡則溼度正常。
7. 使用 HEPA 醫療級濾網的空氣清淨機與吸塵器，尤其有養寵物時。
8. 去除壁癌與黴菌斑。
9. 冷氣定期清洗濾網和主機。（非常重要！）
10. 去除居家蟑螂肆虐。

B 減少吃入過敏原

1. 天然的食物很少會誘發過敏氣喘。
2. 若擔心某種食物可能會持續誘發過敏氣喘（如：牛奶、橘子和香蕉等），可暫停兩週後觀察症狀是否有改善。

(二) 避開各種化學物質

A 拒絕空氣汙染：避免吸入化學物質

1. 戒菸、去除燒香、蚊香、油煙等等家中燃燒物質。
2. 停止使用精油、人工芳香劑、美髮產品、濃郁的香水與化妝品。
3. 拒絕劣質家具、裝潢，或兒童玩具等等可能含甲醛味道的來源。
4. 每週定時清洗帶有三手菸垢的家具。
5. 下載「環境即時通」，當空汙指標亮紅燈時盡量別帶孩子出門。
6. 有抽菸、燒香的環境，放置HEPA醫療等級的空氣清淨機。

B 戒掉垃圾食物：避免吃進化學物質

1. 拒絕零食、飲料、速食、麵包、任何可能帶有人工添加物，以及反式脂肪的食品。

2. 多吃深色蔬菜水果，以及全穀類食物，如糙米、全麥、五穀雜糧。

㈢ 暫時暖和鼻子與氣管：減少物理刺激

1. 冬天起床時，給孩子一條溫毛巾敷臉，身體溫暖後再取下。
2. 出門時也先戴口罩，等身體溫暖後再取下。
3. 不喝冰水，不吃冰品。

㈣ 睡眠、運動、肥胖、壓力與感冒：其他過敏氣喘與鼻炎的安定因子

1. 注意睡眠充足。
2. 固定戶外運動，曬太陽享受維生素D。
3. 肥胖兒童必須減重。

▲【黃瑽寧醫師專欄】十招幫助兒童遠離肥胖

4. 做好個人衛生。
5. 接種流感疫苗。
6. 每天給孩子溫暖的擁抱。

番外篇

過敏氣喘，長大會好嗎？

正如同第一章所述，過敏體質並不會根治，但可以控制得很好，不使用任何藥物，也能健康的過一般正常的生活，這個目標是可以達成的。在第二章曾經提到，七〇％的異膚患者在三歲前會好，九五％在十八歲前痊癒，僅五％會持續到成年人。那麼過敏氣喘的患者呢？

英國研究：學齡前過敏氣喘，三分之二會痊癒

英國布里斯托大學（University of Bristol）十年的長期追蹤研究（ALSPAC），將過敏氣喘兒童分為下列五類，分別可以看出過敏氣喘的孩子，八歲之後穩定的機率：

1. 出生六個月後就第一次發作，長大後一直穩定下來，占一五％。
2. 兩歲前發作，但兩歲之後就好了，占四二％。
3. 六歲前發作，但六歲之後就好了，占二四％。
4. 兩歲前沒事，兩歲才開始喘鳴發作，直到八歲都沒有好，占六．五％。
5. 四歲前沒事，四歲才開始喘鳴發作，直到八歲都沒有好，占一二．五％。

依據這五種分類，到了八歲過敏氣喘仍不太穩定的孩子，是屬於第一、四、五類型態，大約是三分之一左右。換句話說，學齡前就發生過敏氣喘的孩子，三分之二長大會好轉。

有趣的是，兩歲前就發作喘鳴的嬰兒，長大後痊癒的機率反而較高，代表兩歲前喘鳴的嬰兒，有些人只是氣管先天較細小，於是在感冒的時候發出喘鳴聲，並不是真的過敏氣喘發作。

學齡前接觸的過敏原愈少，長大愈穩定

其實，不論孩子是幾歲被診斷過敏氣喘，只要開始配合醫師用藥與環境控制，一定會對提升生活品質有幫助，並且讓孩子八歲後氣管更穩定。研究告訴我們，三歲之前，如果家中累積塵蟎或黴菌太多，未來的過敏氣喘也比較難控制。因此若希望孩子過敏氣喘長大很穩定，三歲前就可以開始做居家環境控制，減少塵蟎、黴菌，更不要再讓孩子生活在空汙的環境，別吃一堆零食，讓身體浸泡在化學物質的傷害裡。

至於過敏性鼻炎，則不太可能完全穩定，除非離開空汙的城市居住，過健康的生活，否則到成年之後通常還是會反反覆覆發作。

08 過敏氣喘兒，怎樣運動才健康？

如果您的孩子有過敏性氣喘，一定曾經有這樣的感受：看孩子運動雖然很快樂，但聽到邊奔跑邊咳嗽的聲音時，那濁濁痰音傳到父母的耳中，心頭糾結，還真是難熬。氣喘兒運動後會引發咳嗽，但卻又聽說運動對氣管好，究竟該怎麼控制，該選擇哪一種方式，對家長們的確是個挑戰。

乾冷空氣、過敏原、空氣汙染，皆容易誘發過敏氣喘咳嗽

剛才提到，當孩子吸入又乾又冷的空氣時，氣管會立刻產生收縮反應，並且誘發更多發炎因子會釋放出來，造成反應性的氣管收縮與水腫。總而言之，過敏氣喘患者的運動，最忌諱的就是「冷」和「乾」。愈激烈的運動，呼吸愈急促，

換氣愈頻繁，過敏氣喘發作的機率就愈高。

除了避免乾冷空氣之外，運動時的環境也很重要。我曾經在一家布滿地毯的健身房跑步，跑著跑著就喘咳了起來，我想那個地方塵蟎量沒有上千萬也有百萬之多吧。所以，當孩子在剛住進去的旅館床鋪，高興跳上跳下時，千萬要小心在空氣中飄舞著大量的過敏原。

除了減少吸入乾冷空氣，避免過敏原之外，還有一項最惱人的，就是要避開無所不在的空氣汙染。比如說同樣是慢跑，在車水馬龍的大馬路上跑，吸入肺裡盡是空氣汙染，和在森林裡慢跑相比，過敏氣喘發作的機率就差很多。

游泳好，但不是唯一的好

因此，理論上避開乾冷空氣，避開過敏原，避開空氣汙染，過敏氣喘患者最理想的運動，應該就是「游泳」。游泳時吸入的空氣既潮溼又溫暖，不會有過敏原飄在空中，對氣管的刺激應該是最小的。

然而都市內的游泳池，大多是室內游泳池，有些孩子對消毒的氯氣敏感，刺激呼吸道之後，反而開始咳嗽，甚至誘發過敏氣喘。如果家長觀察到這種情形發生，可能不適合繼續游下去，或者換一家氯氣沒那麼重的游泳池，或有些游泳池改用臭氧消毒（但也有孩子對臭氧敏感），總之多試幾次才知道。

長期運動對過敏氣喘穩定有幫助

但不管怎麼說，過敏氣喘兒是應該多運動的。根據研究，不管是兒童還是成人，一週運動三次，每次至少三十分鐘的有氧運動，對整體的過敏氣喘症狀是有顯著的改善。反而是不運動的過敏氣喘患者，不僅症狀控制不佳，也容易肥胖。

下列是一般對氣喘兒童運動的建議與注意事項：

1. 原則上可以依照孩子的喜好選擇運動，不需特別給予限制。但如果可以選擇的話，中短期的運動（排球、體操、棒球），會比激烈長時間的運動（足球、馬拉松、籃球）更為適合。
2. 游泳雖然又溫和又潮溼，但是要注意孩子對氯氣的反應，如果症狀不斷加劇，表示不適合繼續。

3. 運動前先暖身，天冷可以先戴著口罩，等身體暖和，心跳加快之後再進入運動。口罩可以不用從頭戴到尾，實在太痛苦了（防疫規定除外）。
4. 注意空氣中的過敏原與空氣汙染物質，遠離不適合的運動環境。
5. 感冒的時候不可以運動。

運動後不久就咳嗽或過敏氣喘發作的預防方法

如果運動後會咳嗽超過半小時，表示過敏氣喘控制還不穩定。預防方法是：在運動前三十分鐘，先使用噴霧型氣管擴張劑（泛得林、備勞喘）一次（見P.221），待藥效產生之後再開始運動，以降低運動後過敏氣喘發作的機率。萬一運動中發作，也可使用噴霧型氣管擴張劑暫時急救。

當然不能老是倚靠急救用的氣管擴張劑，平常時就要先使用長期保養的吸入型類固醇藥物，並改善居家的環境、禁止零食飲料等，遵照醫囑乖乖配合。藉由規律的用藥，讓孩子的氣管變得穩定，可以自由自在快樂的運動，而非去限制他運動的時間，這是對所有過敏氣喘患者的提醒。

養成規律運動的習慣，最後不僅過敏疾病好了，許多過敏氣喘兒童，還成為世界級的運動員！歷史上許多奧運選手都有過敏氣喘體質，包括二〇二一年東京奧運的游泳金牌瑪格麗特（Margaret MacNeil），一位自幼被收養至加拿大的中國棄嬰。即便她從小就罹患過敏氣喘，但由於養父母都是醫生，從小讓這位黑頭髮黃皮膚的女孩嘗試各種運動，最後在游泳項目上嶄露頭角，這故事是否十分激勵人心呢？

CHAPTER 5

其他過敏與類過敏話題

01 兒童蕁麻疹：不見得是食物過敏，感染才是禍首

每次在門診遇上蕁麻疹的小病人，身上浮一塊腫一塊的，家長常問的第一句話就是：最近吃的東西都沒變，也沒有接觸什麼海鮮，為什麼還會引起過敏呢？甚至小朋友剛好有一些感冒症狀，正在服用咳嗽藥或退燒藥，接著長出蕁麻疹，自然而然就會懷疑兇手是藥物，立刻病歷上就被注記著「某某藥物過敏」。偏偏這些藥以前也都吃過，昨是今非，不只家長困擾，醫生其實也困擾極了。

長出蕁麻疹要找出原因，以免下次又再度復發，這個觀念是正確的。嬰幼兒吃到過敏食物可能會產生蕁麻疹，但一歲以上兒童的蕁麻疹，則很少是食物過敏

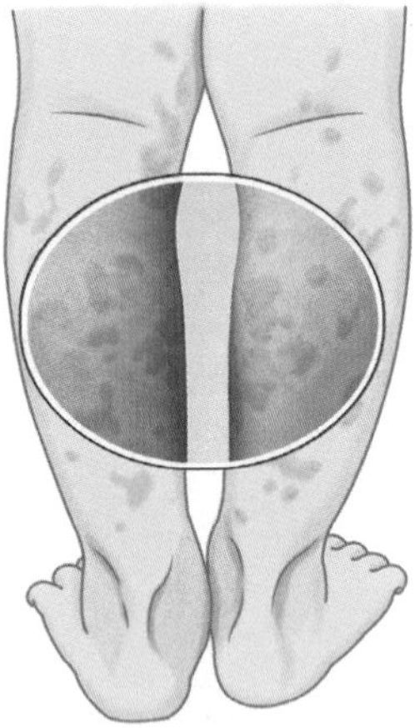

▲蕁麻疹

誘發，大部分都發生在感染之後，食物過敏只占了不到一〇%的病例，跟成人蕁麻疹的病因有很大的不同。

對抗病菌卻害到自己

當孩子遭受到病毒或細菌感染的時候，除了有喉嚨痛、咳嗽、流鼻水等症狀之外，身體的免疫系統也在進行劇烈的改變。由於免疫系統尚未完全成熟，因此兒童在產生抗體時，有時候會產生一些過敏反應，因而導致蕁麻疹的產生。

會誘發蕁麻疹的感染源，包括各式各樣的病毒和細菌，並非只有一兩種病菌而已，所以醫生不見得有確切的答案。這些為了對抗病菌而產生的蕁麻疹，有時一週左右就可自然消退，但有些竟然可以持續長達數個月，嚴重度也輕重不一，有些孩子會癢，有些孩子則否。

藥物與食物被誤會

正因為蕁麻疹總是發生在生病前後，許多感冒藥或退燒藥因而背負著導致過敏的罪名，但除非是很嚴重的過敏反應（比如說差點休克），不然在醫師的許可之下，下次生病還是可以試著服用這些相對安全的藥物，不要一竿子就打翻所有的船。

同時家長也必須謹慎，千萬不要隨便將一些天天都在吃，並且具有重要營養價值的食物，禁止孩子食用。曾經有一項研究發現，當孩子蕁麻疹發作時，家長認為過敏的食物，只有二%是真正的兇手，猜錯的機率高達九成八。因此不要輕易剝奪讓孩子吃魚、吃雞蛋、吃黃豆、吃水果的權利，除非你非常肯定它與蕁麻疹之間有因果關係。

反而是有一種食品常常被家長忽略，卻是蕁麻疹最大的隱藏敵人，就是「化學物質」。在慢性蕁麻疹的孩子當中，發現有些孩子每天都在吃零食、麵包、糖果餅乾，本來蕁麻疹沒那麼癢，如今在化學物質的催化下，孩子反覆抓到流血，實在得不償失。

口服二代抗組織胺

治療方面目前還是以口服抗組織胺為主，盡量使用比較不會嗜睡的第二代抗組織胺，效果和第一代一樣好，且劑量可提高而不需擔心副作用。雖然感染引起的兒童蕁麻疹，隨著免疫系統冷靜下來之後，症狀就會漸漸消失不見，但時間卻是可長可短，從數天到數個月的時間不等，家長有點耐心，大部分孩子最終都可以完全痊癒。

02 抽血驗過敏原，解讀需謹慎

在美國科羅拉多州有個研究，找了一百二十五名異位性皮膚炎的小朋友，他們曾經抽血檢驗過敏原，得到一堆紅字，長期被父母禁止吃這些「過敏食物」。研究者把這些孩子請到醫院來，針對這些過敏食物給小朋友嘗一點，並觀察記錄吃完後的症狀。

結果呢，孩子們吃完這些曾經被禁止的食物後，約九成都沒有發生過敏症狀，代表之前不敢吃的奶、蛋、水果、肉類、帶殼海鮮、花生、豆類和大麥等健康的食物，其實是可以吃一些的。經過醫生的解釋後，家長回家恢復飲食，只針對那一成有過敏反應的食物設限，孩子的營養也更均衡了。

抽血檢驗過敏原的盲點

所謂的抽血檢驗過敏原，是利用純化過的過敏原，跟病人的血清混合，偵測體內引發過敏反應的E抗體（IgE）。舉例來說，如果病人對塵蟎過敏，那麼他身體裡「對抗塵蟎」的E抗體應該很多，檢測出來的數值就會偏高。

但過敏原檢測，其實存在許多的盲點：

1. **檢驗試劑中沒有列入的過敏原，就找不出來。**過敏原檢測套組，從六項到一百項都有，但即便花大錢驗了一百項，也不可能將生活中所有的過敏食物都包辦。更何況每個國家的食物種類差距甚大，若你對台灣特有的水果過敏，偏偏沒有任何一家廠商幫你純化做成產品，那麼也就測不出來。

2. **三歲以下嬰幼兒時常呈現偽陰性。**三歲前的嬰幼兒，免疫反應跟大人不同，E抗體只在大發作的時候跑出來，抽血結果常常不準確。

3. **就算過敏原檢測陽性，只要沒有症狀，就不算過敏。**剛才提到的研究，就是偽陽性最好的例子。這些孩子已經產生對過敏食物的耐受性，因此就算過敏指數很高，吃了卻沒有過敏症狀，實在不該剝奪他們吃的權益。

通常只有一種狀況，我覺得可以抽血做過敏原檢測，就是當家長強烈懷疑某食物是引發疾病的元凶，但很難割捨雞蛋、牛奶、海鮮等美食，想抽血證明自己的觀察是否正確，這樣做過敏原檢測就合情合理。

飲食記錄找兇手

建議尋找食物中過敏原的方法，是做「飲食紀錄」。當各種過敏症狀發作的時候，把二十四小時內吃過的所有食物，鉅細靡遺的記錄在一張紙上，包括食物的來源等細節，然後把紀錄收在抽屜裡。下一次過敏發作時，將兩次發作的飲食紀錄拿出來比較，有時候就能找到某個被忽略的過敏凶手。

懷疑某一種食物，但又不確定，可以先停止攝取兩週，觀察孩子過敏症狀有沒有改善。若感覺似乎改善了，兩週後再將食物加回去，看病情有沒有惡化，這樣一來一往的排除法，肯定比抽血檢查還更準確。

過敏性鼻炎首重環境改善

至於氣喘或是過敏性鼻炎，大部分的過敏原都飄散在空中，也就是塵蟎、黴菌、狗貓皮屑、蟑螂。九九％的呼吸道過敏兒，抽血出來就是這四種，所以請不要再折磨小孩讓他白挨一針，只要照著書上的指示改善環境就對了。

慢性食物過敏原檢測？並非正統醫學

這幾年坊間推出另一種過敏抽血，叫做「慢性食物過敏原檢測」，他們把上述E抗體（IgE）的檢查解讀為急性過敏，而另一種G抗體（IgG）解讀為慢性過敏，若能找出孩子不該吃哪些食物，就可以解決從過敏到過動的所有問題。

事實上，正統免疫醫學裡並沒有這種說法，G抗體（IgG）並無法用來判斷有沒有食物過敏，而是正常人都會有的免疫反應。總而言之，在抽血檢驗這件事上，家長應諮詢兒童過敏免疫專科醫師，才不會道聽塗說，把抽血單上紅字食物全都禁吃，反而讓孩子營養不良。

皮膚針刺/貼布試驗

順帶一提，欲診斷過敏原除了抽血之外，還有一種更精準的做法，叫做「皮膚針刺試驗」（或者用貼布，叫做皮膚貼布測試），做法在下面圖解。但是針刺試驗與貼布試驗，有它潛在的危險性，所以千萬不要在家自己嘗試，要到大醫院檢驗，這樣萬一誘發過敏大發作時，才有人幫您急救喔。

皮膚針刺（貼布）試驗

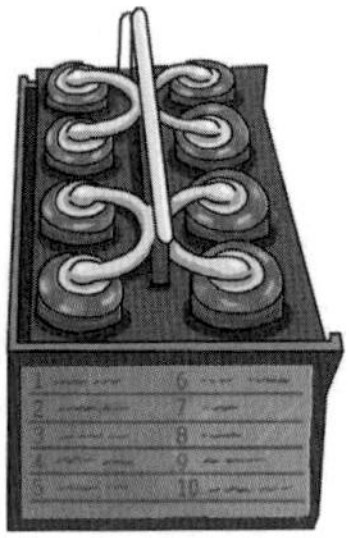

❶ 皮膚針刺儀器

❷ 將所懷疑的過敏原，滅菌混合在試劑裡。

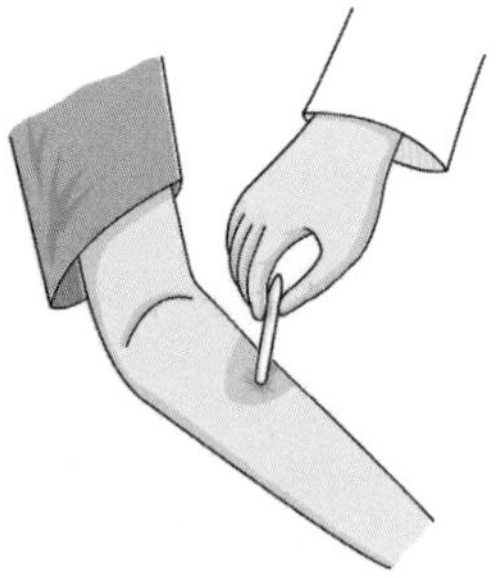

❸ 直接針扎（或貼布）在病人的皮膚上

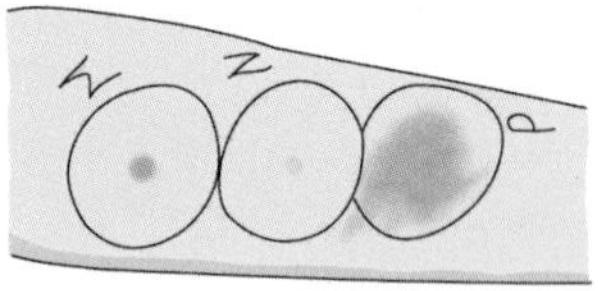

❹ 如果馬上有蕁麻疹的現象產生，就表示這項過敏原是真的會引發症狀。

03 慢性咳嗽的迷思1：是鼻涕倒流嗎？

二十年前還在讀醫學院的時候，我們被教導慢性咳嗽最常見的疾病，叫做「鼻涕倒流」。意思是說，當鼻涕從鼻腔往後流動時，會刺激喉嚨的黏膜，造成癢癢的感覺，讓人想咳嗽，又或者鼻涕繼續往下流，太濃稠嗆到氣管，而引發劇烈的咳嗽。

因為教科書上曾經這麼寫，所以每當病人因為慢性咳嗽，咳超過兩個禮拜去看醫生時，醫生一定會用壓舌板看喉嚨。若將手電筒往喉嚨一照，看到兩條濃濃的鼻涕掛在口咽後方，就會跟病人說：「這是鼻涕倒流造成的慢性咳嗽。」然後醫生會開抗組織胺藥物，也就是止鼻涕藥給病人回家吃，只要鼻涕不再流，咳嗽應該就會改善。

很多小病人乖乖的回家吃藥，鼻涕也的確減少了，但是咳嗽卻沒有改善。於是爸媽又聽到另一種說法，說雖然沒從鼻孔看到鼻涕，但鼻涕可能都往後倒流，所以咳嗽才會持續。又聽說躺下時，鼻涕會順著地心引力向下，更容易倒流，所以才造成夜間咳嗽更厲害。

不論這些解釋是否合理，小病人通常不會只吃醫生開的藥，還會喝個雞湯，喝個蜂蜜水，煮個洋蔥水等等，然後有一天咳嗽莫名其妙就停了，爸媽也不太清楚是做對了哪一件事。

鼻涕倒流其實是個古老的說法

剛才有提到，鼻涕倒流這個診斷，其實還滿有歷史的。早在一七九二年的時候，一位名叫 Johann Peter Frank 的醫生，是第一位在文獻上記載，有些病人感冒過後，咳嗽會持續超久咳不停。經過他大膽假設，小心求證，這些病人的喉嚨壁上常常看到掛著兩條鼻涕，所以他強烈的認為，慢性咳嗽就是這鼻涕倒流惹的禍，才會症狀一直好不了！

但科學家發現，其實鼻腔黏膜二十四小時都在分泌的黏液，人類每天大約會產生一至二公升的鼻涕，讓鼻腔隨時保持溼潤，以黏附空氣中的懸浮微粒，以及阻擋病毒細菌的入侵。這些黏液除了少部分會在擤鼻涕的時候擤出來，大部分的鼻涕，本來就該從喉嚨往後流，然後被吞入胃裡，藉由胃酸殺死病毒或細菌。因此所謂的「鼻涕倒流」，基本上是一個隨時隨地都在進行的現象。

為了證明鼻涕倒流會引起慢性咳嗽，二〇〇四年兩位英國醫生 O'Hara & Jones，統計看到鼻涕倒流的所有病人，有多少比例的病人合併咳嗽。結果發現這些鼻涕倒流的病人之中，只有五分之一的人伴隨有咳嗽症狀，換句話說，喉嚨掛著兩條鼻涕的人，高達八〇%沒有症狀。

將數據反過來解讀，把所有慢性咳嗽病人，排除掉肺炎、氣喘、支氣管擴張症等疾病之後，只剩下八%的病人找不到其他原因，可以用喉嚨掛著兩條鼻涕倒流的現象來解釋。換句話說，慢性咳嗽的成年病人中，有大約八%用抗組織胺藥物治療鼻涕會有效果。

南非一位 Bardin 醫師更是砸大錢做實驗，他利用核子醫學攝影追蹤鼻竇炎病人的鼻涕，到底會往哪兒流。經過一天一夜的觀察，發現病人的鼻竇裡、鼻腔裡、食道裡、胃液裡都有鼻涕，偏偏大家最好奇的氣管與肺部組織中，卻是一滴鼻涕也沒有。Bardin 醫師的研究是包含夜間睡眠時間，也間接證明躺下時就算鼻涕會倒流，也不太可能嗆到氣管。夜間咳嗽的原因，還是跟發炎反應與生理時鐘有關。

總而言之，既然大部分的慢性咳嗽，都跟鼻涕倒流無關，美國胸腔科醫師學會（ACCP）於二〇〇六年將這一類難纏的慢性咳嗽，改名為「上呼吸道咳嗽症候群（upper airway cough syndrome, UACS）」，鼻涕倒流只能稱為其中的症狀，不再獨立為疾病名稱。

醫生怕治咳，慢性咳嗽原因百百種

好啦，雖然名稱改是改了，但該怎麼解釋這些慢性咳嗽呢？由於慢性咳嗽病因百百種，但主要的思維可以由解剖位置，從肺部往上一路到腦部，慢慢一個一個排除：

1. 非典型肺炎（如：黴漿菌、肺結核……）
2. 過敏氣喘

3. 異物吸入
4. 胃食道逆流
5. 上呼吸道咳嗽症候群
6. 鼻竇炎
7. 抽動症（類妥瑞症，詳見P.291）

上述疾病雖然很多很雜，但如果針對六歲以下的兒童來統計，慢性帶痰的咳嗽，第一名是過敏氣喘，第二名是黏膜性細菌感染，在本書第四章有詳細介紹。除了對症下藥之外，提升屋內空氣品質，避免室內燒香或抽菸，不吃垃圾食物，規律作息等等，都可以降低咳嗽的頻率。

另外，坊間流傳很多止咳的方法，只要無害，拿來治標應該是沒問題。比如說「晚上睡覺把枕頭墊高，吃冰糖水梨，喝洋蔥水，或枇杷膏」等等，這些措施或許都能減緩上呼吸道咳嗽症候群，讓喉嚨不要那麼敏感，不要那麼癢。總而言之，慢性咳嗽要找原因，不要再用「鼻涕倒流」四個字輕輕錯過了。

▲關於鼻涕倒流

04 慢性咳嗽的迷思2：是妥瑞氏症嗎？

很多慢性咳嗽、發出清喉嚨聲的孩子，經過醫生的觀察後，診斷為一種叫做「妥瑞氏症」的疾病。因為沒聽過這種疾病，回家之後上網搜尋，跳出來的資料盡是令人擔憂的敘述，包括「上課突然大叫、罵髒話、無法克制的動作、需長期用藥」等，父母看著看著都哭了。

事實上咳嗽、眨眼、歪嘴、發出清喉嚨聲等反覆的動作，並不等於真正的妥瑞氏症，而這一切的誤解，其實是來自「翻譯誤差」。

抽動症、類妥瑞症、妥瑞前症（tics）

上述這些不由自主的小動作，時而有時而無，有些人在吃飯時特別頻繁，有些人在看電視時特別頻繁，也有在睡前、寫作業、被責罵等等特定場合出現。但這些小動作有個共同特徵，就是睡覺的時候都不會發生，而且白天看起來很健康，活力佳，毫無病容。這種症狀我們稱之為tics，中文翻譯為抽動症，或類妥瑞症，或妥瑞前症……等等不同稱呼方法。

再細分這些動作，有發出聲音的叫做聲音型抽動（vocal tics），有肢體動作的叫做肌肉型抽動（motor tics），也因此慢性咳嗽、發出清喉嚨聲是屬於聲音型抽動；而眨眼、挑眉等則屬於肌肉型抽動。

tics這個英文在十年前沒有統一的翻譯，因此醫生常常會以「妥瑞氏症」來統稱這些不由自主的小動作，結果造成家長很大的誤會。當然，妥瑞氏症可以視為最嚴重的抽動症，但是九九％的孩子，在發生上述抽動症狀時，根本並不符合最嚴重的妥瑞氏症範疇。所以我才說這一切的困擾，其實是來自翻譯誤差。

大腦過度反應，導致不自主抽動症狀

為什麼孩子會有這些不自主的抽動症狀，由左頁的這張圖來跟大家解釋。上面那張圖是正常的大腦反應，人的眼睛、鼻子、喉嚨、氣管，隨時隨地都會傳達一些訊號給大腦，請示主人需不需要針對這些刺激來反射動作。比如說一陣清風徐來，少許鼻涕口水分泌，氣管分泌些許黏液，通常穩定的大腦會告訴這些器官「安啦沒事！別緊張。等風更大、更多痰、更多口水的時候，再眨眼或咳嗽就好。」

但是抽動症的孩子大腦，可以用下面這張圖來解釋。同樣是一陣清風徐來，少許鼻涕口水分泌，氣管分泌些許黏液，此時兒童不成熟的大腦，卻緊張兮兮的指示這些器官「快動起來！眨個眼、皺個鼻子、吞個口水、咳嗽清個喉嚨！」此時在大人眼中，就會看到孩子眼睛眨個不停，咳嗽咳個不停，或者其他肢體反覆的抽動症狀。這也是為什麼當這些孩子睡著之後，大腦主人一關機，什麼動作都消失不見了。

正常孩子大腦反應

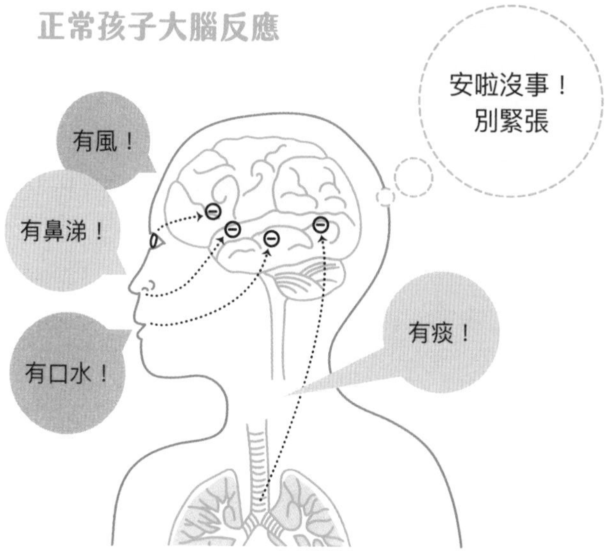

抽動症孩子大腦反應

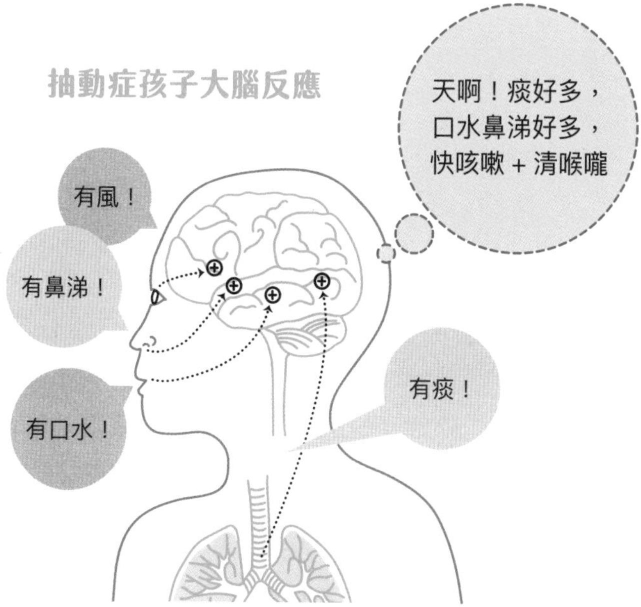

慢性抽動症持續一年以上，才稱為妥瑞氏症

兒童抽動症發生率非常的高，在兒科門診幾乎天天都有新診斷，但真正進展到嚴重「妥瑞氏症（Tourette syndrome）」的孩子，卻相對非常罕見。它必須符合下列描述：

1. 多種肌肉型抽動（包括歪嘴、眨眼、深呼吸、聳肩……），加上一種以上聲音型抽動（大聲乾咳、發出聲響……），交替反覆發生。
2. 上述情形至少持續一年以上。
3. 十八歲之前發病。
4. 在沒有其他藥物副作用干擾的情形下。

因此，如果您的孩子不符合上述的四點，只是有眨眼動作，或是單獨清喉嚨的聲音，這些都只能歸類於抽動症，可以逐漸改善，也不需要吃藥。還有家長把「抽動症」跟「過動症」混在一起，擔心孩子注意力不集中等等，事實上這兩者是完全不同的問題，切勿錯把馮京當馬涼。

抽動症是大腦的警報器——過敏、零食、壓力

抽動症發作，代表孩子的大腦對某種刺激過度反應，可以當作孩子的警報器，未必是不好。從前面的圖示（詳見P.293）可以得知，如果過敏氣喘的孩子，或過敏鼻炎的孩子，器官傳回大腦的「分泌物」訊息肯定比一般孩子來得更多。這時候的抽動症狀，就是孩子的「**過敏惡化警報器**」，把根本問題解決，警報器自然消失。

另外更常見的情況，是當孩子常吃巧克力、起司、夾心餅乾、麵包、糖果飲料，大腦主人被化學物質弄得心煩意亂，也會變得超級敏感，抽動症狀停不下來。這時候的抽動症狀，就是孩子的「**垃圾食物警報器**」，把零食戒了，警報器自然消失。

另一個讓孩子大腦主人心煩意亂的原因，是情緒壓力。有些父母只要一罵人，孩子抽動症就發作，這就是典型情緒壓力所造成的症狀。剛才提到很多孩子在飯桌上抽動症發作，壓力來自大人逼孩子吃完才能下桌，或者邊吃邊罵人等，這時候的抽動症狀，就是孩子的「**壓力警報器**」。

平常多稱讚孩子，盡量不用負面的言語，不要在孩子面前吵架，多陪孩子遊戲等等，都是減緩抽動症狀的方法。反之，螢幕時間太長，或睡眠不足，都會讓孩子的症狀加劇。

綜上所述，這是我的三個抽動症治療提案：1. **治療過敏疾病**；2. **禁絕一切零食**；3. **處理情緒問題**。

補東補西，不如補孩子一份愛

「補鈣，補鋅，補鐵……」台灣文化好像什麼疾病，都想要補些什麼來治療。但其實大部分的抽動症孩子，不需要抽血檢驗，也不需要補東補西，維生素B6也只是吃了心安，無害但不要期待療效。要讓孩子大腦穩定，最有效的方法就是擁抱、鼓勵、陪伴，補東補西，不如補孩子一份愛。

唯有確診妥瑞氏症，並且已經影響孩子的人際關係，經過上述處理後仍未改善者，才考慮用藥幫助。至於抽動症與注意力不集中過動症的關連，與自閉光譜症的關連，與強迫性格的關連等，就不在本書討論了。

05 蚊子咬完腫一大包：血管性水腫

朋友傳了小孩的照片給我，半邊臉腫得像豬頭，尤其是眼皮的地方，眼睛都睜不開了。我問她這情形多久了，有沒有發燒？媽媽回答昨天眼皮好像被蚊子叮了一下，今天早上起來就變這個樣子，而且好像愈來愈腫。沒有發燒，孩子雖然說有點脹痛感，但摸他倒是沒有什麼感覺，不會痛得哀哀叫。

這不是「蜂窩性組織炎」，也不需要打抗生素，而是對蚊子叮咬的嚴重過敏，或叫做「血管性水腫」（angioedema），吃抗組織胺藥水即可。

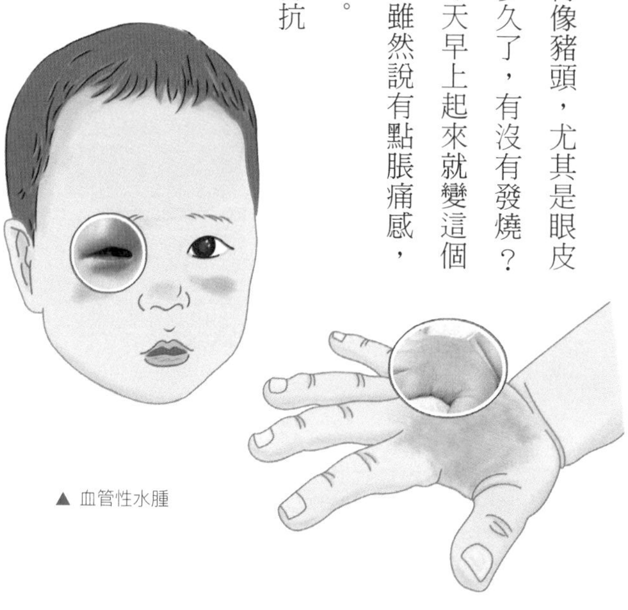

▲ 血管性水腫

血管性水腫在兒童身上很常見

血管性水腫在兒童並不少見，寶寶被蚊子叮咬後，如果紅腫得很誇張，甚至可以腫成兩隻腳不一樣大，那就是血管性水腫了。孩子因為免疫系統還沒發育完全，接觸到這些蚊蟲的唾液口水時，會誘發釋放出大量的過敏激素，進而造成嚴重蕁麻疹，或者血管性水腫，有時候還會起晶瑩剔透的水泡！但請放心，等孩子年紀大一點之後，免疫系統較為成熟，就比較不會反應如此劇烈。

萬一過敏反應已經發作了，可以口服抗組織胺治療，經過兩天左右就會緩解；有些反應不佳者，甚至需要口服幾天的類固醇藥物，一樣可以達到消腫的效果。但如果過敏太過嚴重，連喉部聲帶也已經水腫到呼吸有點急促，那就要趕快掛急診注射急救藥物。

蚊蟲預防勝於治療

至於預防的方法，可以在蚊蟲出沒的地方，先幫寶寶上防蚊液。有效的防蚊液包括 Picaridin（派卡瑞丁）和 IR3535 這兩款成分，Picaridin 噴一次約可持續六小時，對多種蚊蟲（包括小黑蚊）都有防護力，兩個月以上的幼童即可使用。IR3535 雖然藥效較短，但也同樣有廣泛的防蚊效果。

在蚊子叮咬的初期，還沒腫成米龜之前，請使用「強效類固醇藥膏」搓揉，把藥物覆蓋在被叮咬之處。由於大部分市面上蚊蟲叮咬的藥膏都只能止癢，唯一能抗發炎消腫的局部用藥，就只有類固醇藥膏而已。

過敏與蜂窩性組織炎區分

要如何區分被蚊蟲叮咬後的腫脹，是血管性水腫，而不是細菌感染引起的蜂窩性組織炎呢？有幾個觀察的重點：

1. 蜂窩性組織炎的發生，通常是皮膚先被抓破，細菌入侵四十八小時之後，才會腫成這麼明顯。因此，若蚊子叮咬當天馬上就腫起來的，通常都不是蜂窩性組織炎。

2. 腫成這麼大，如果是細菌感染，早就痛得哀哀叫了，既然孩子不太痛，也沒發高燒，那麼應該就是血管性水腫而不是感染。

因此，若您的孩子先抓破皮膚，隔天開始慢慢紅腫熱痛，反而比較像細菌感染，引發蜂窩性組織炎，就快去找醫生使用抗生素治療吧！

06 手腳被蚊蟲叮成紅豆冰：蕁麻疹樣苔蘚

被蚊蟲叮咬，除了可能腫一大包，變成血管性水腫之外，還有另一種情形，就是雙臂雙腳，還有臉上等身體露出來的部位，皆被叮咬成密密麻麻的膨疹，也就是俗稱的「紅豆冰」。很多家長非常疑惑，哪裡來這麼多蚊蟲，可以叮咬這麼多包？而且其他同行的孩子，沒有一個人像他被咬得這麼誇張，難道是特別吸引蚊蟲的體質呢？

其實這樣的孩子並非「被一群蚊蟲攻擊」，而是擁有一種對蚊蟲叮咬的特殊過敏體質，我們可以稱之為紅豆冰體質。他們對蚊蟲叮咬的反應特別強烈，使得除了「叮咬處」產生膨疹之外，於身體其他部位，還會自動冒出數十個類似蟲咬的膨疹，造成紅

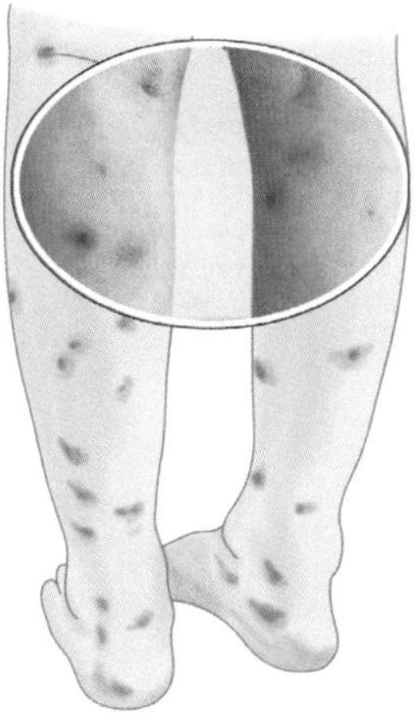

◀ 蕁麻疹樣苔蘚

豆冰一般的皮膚表徵。這種身體免疫反應自然產生的膨疹很特別，幾乎都發生在臉、手和腳等暴露在衣服外的部位，正式的疾病名稱，叫做「蕁麻疹樣苔蘚」（Lichen urticatus）。

蕁麻疹樣苔蘚是特殊的過敏體質

蕁麻疹樣苔蘚病灶奇癢無比，小朋友時常會無意識地抓癢，導致破皮甚至細菌感染。雖然這些疹子來來去去，最終還是會消退，但容易殘留色素沉澱，導致雙腿皮膚顏色斑斑駁駁，實在不怎麼美觀。

幸好，這種過敏性的皮膚反應，隨著年齡愈來愈大，會因免疫系統逐漸成熟而好轉，但過渡期可長達好幾年，讓照顧者看了滿難過的。因為是對蚊蟲過敏體質，所以處理上也沒有什麼特效藥，只能積極的預防蚊蟲叮咬。居家環境要防堵蚊子飛入，晚上睡覺可架設蚊帳；外出時盡量穿著長袖長褲，塗抹防蚊液，並且避免出入草叢、貓狗出沒處。

如果已經發生蕁麻疹樣苔蘚，積極的止癢是最重要的，以免引發皮膚感染及色素沉澱。止癢的方式包括口服組織胺，或局部外用抗組織胺、類固醇藥膏。如果已經抓出傷口，可使用抗生素之藥膏來控制繼發的細菌感染。

防蚊液的選擇：只有三種有效

市面上常見的防蚊液成分，時常標榜各種天然的精油，雖然安全無慮，但防蚊效果極不穩定，對很多種蚊蟲的防護效果都不佳，對於蕁痲疹樣苔蘚的孩子而言，實在不是好選擇。

目前市面上經衛福部核准的有效防蚊成分是「DEET（敵避）」，可直接噴抹於皮膚，防蚊效能可從二小時至七小時不等。自二〇一七年七月起，食藥署宣布含量在一五％以下的防蚊產品從「指示藥品」改列為「乙類成藥」，不只可在藥局買到，百貨、雜貨店，甚至是超商都可買得到含有DEET的防蚊液。

DEET濃度與防護時間和效果成正比，一般來說濃度愈高，效果維持時間愈長。兩個月以上的孩童建議使用濃度一〇至三〇％的產品，兩個月以下嬰兒則不建議使用含DEET的防蚊液。

另外兩種 Picaridin 和 IR3535 成分的防蚊產品，也很適合用在孩子身上。Picaridin 噴一次約可持續六小時，對多種蚊蟲（包括小黑蚊）都有防護力，兩個月以上的幼童即可使用。IR3535 的效果雖然弱一點，卻也相對更溫和及安全，對於幾乎要天天使用防蚊液的蕁麻疹樣苔蘚孩子而言，這些成分都是必要且有效的選擇。

07 分辨嬰兒細支氣管炎或過敏氣喘

如果要統計兒科病房住院最多的疾病，肯定非「急性細支氣管炎」莫屬。我自己小的時候，也曾經因為此病住院，媽媽為了照顧因害怕而瘋狂哭泣的我，一頭鑽進僅一公尺立方大小的氧氣帳，陪我一起吸氧氣，搞得腰痠背痛，到今天還在痛（家母喜愛使用誇飾語法）。

兩歲以下的專屬診斷

「細支氣管炎」這個診斷，只適用於兩歲以下的嬰兒，成人沒有這種疾病。嚴重的細支氣管炎，寶寶會發出「咻咻咻」的喘鳴聲，聽起來頗為可怕。也因此很多家長會問我，這不就是過敏氣喘嗎？過敏氣喘不也是會發出喘鳴聲嗎？

再者，雖然兒科醫師都說兩歲以下的嬰兒，即便有「咻咻咻」的喘鳴聲，也不會診斷為氣喘，但如果是一歲十一個月又三十天的寶寶因此住院，難道過了一天，就馬上診斷變成過敏氣喘了嗎？我想一定很多爸爸媽媽搞不懂其中的邏輯在哪裡。

嬰兒細支氣管炎是比較嚴重的感冒

要回答這個問題，就要先從喘鳴的原理開始說起。

首先，各位想像一下，我們大人的支氣管，粗細大約是跟珍珠奶茶的吸管一樣粗，而兩歲之前嬰兒的支氣管，則像是鋁箔包附贈的吸管一樣的細。

在這樣粗細大小懸殊的比例之下，今天如果剛好大人與小孩感染了同一種病毒，大人的氣管即使發炎而腫脹，但因為氣管夠粗夠強壯，所以症狀只是像小感冒，影響不會太大。

但直徑像鋁箔包吸管一樣，又細又軟的嬰兒支氣管，卻因為結構的緣故，很容易就會卡痰，造成劇烈的咳嗽。這些細支氣管在發炎腫脹的狀況下，管徑會變得更細小，當肺部的空氣吹過，就像是捏住鋁箔包吸管用力吹氣一般，狹窄處會發出「咻～咻～」的笛音，這就是嬰兒喘鳴聲的由來。

因此換個角度解釋，嬰兒的細支氣管炎，就是比較嚴重的感冒，只因為氣管太細，會造成相較於大人更加嚴重的症狀。然而，大部分兩歲以上的孩子，氣管理論上已經夠粗、夠強壯，不應該再隨便一個感冒，就狹窄到喘咻咻的地步。所以，當兩歲以上的孩子因感冒而發出喘鳴聲時，或許就是過敏氣喘。

細支氣管炎並無有效藥物

嬰兒細支氣管炎，是因為氣管結構太小所產生的疾病，所以吃化痰藥沒用、止咳藥沒用、氣管擴張劑沒用、抗組織胺沒用、類固醇也沒用，什麼藥都沒用。最嚴重的時候可以給予氧氣帳，度過最艱難的幾天，然後就會自己好起來。

什麼時候細支氣管炎的孩子要住院睡氧氣帳？1. 吃不好；2. 睡不好；3. 精神不佳；4. 喘得很費力。當出現這些惡化的症狀時，可能是輕度脫水，也有可能是瀕臨呼吸衰竭，總之就是要帶給醫師評估是否需要氧氣治療。但不管是吊點滴，或者是睡氧氣帳，都是只能「幫助孩子度過最難受的幾天」，並不能縮短病程，整體還是要約兩週過後才會完全痊癒。

另外，除非是在保溫箱的早產兒，或是長期臥床無力的慢性病患者，否則對於一般嬰兒的急性細支氣管炎，拍痰真的是沒什麼效果；既不能縮短病程，也無法減少咳嗽頻率和細菌感染機率。父母照護時只需溫柔的輕輕拍，當做安慰寶寶就可以了。

嬰兒反覆發作喘鳴，也可能是嬰兒性氣喘

回到剛才假設性的問題，難道兩歲前就不可能是過敏氣喘嗎？過了兩歲生日，診斷就改變了嗎？當然，也不是這麼武斷啦。

如果有個嬰兒八個月大時喘一次，一歲時喘一次，一歲兩個月又喘一次，而且一次比一次嚴重，病程時間愈來愈長，這種情況醫生就很難只是用「細支氣管炎」一個疾病，來解釋這麼反覆發作的喘鳴聲了。

反覆「咻咻咻」發作的嬰兒，我會跟家長說這次喘鳴聲算是「醜一」，下次

是「醜二」，如果兩歲前發生「醜三」，我還是會使用過敏氣喘的藥物治療，這時候下的診斷，就會是另一個名詞，叫做「嬰兒性氣喘」。通常在使用氣喘藥物治療後，這些嬰兒也大多能達到穩定的生活品質。

除了用藥之外，我一定會諄諄告誡家長：家人要戒菸、不要燒香、點蚊香或精油等燃燒物，並且盡早開始按照本書上的核銷清單（P.48），打造少塵蟎、少黴菌、少空汙的居家環境，來預防過敏體質的惡化，畢竟預防勝於治療啊！

08 過敏氣喘兒能吃冰嗎？

大多數氣喘兒的爸媽都不讓孩子碰冰品，總擔心孩子會咳得更厲害。然而，氣喘兒不一定要與冰品絕緣，「咳或不咳」才是判斷關鍵。

過敏氣喘的兒時回憶

由於我從嬰幼兒期就開始出現氣喘體質，在母親嚴格的監控之下，「冰品」一直是我童年的禁忌。可以想像在炎熱的夏天，一群孩子在游泳池玩耍之後，嘻嘻哈哈的爬上岸，找媽媽討水喝。池畔每個孩子人手一瓶冰開水或冰飲料，咕嘟咕嘟的暢飲，紅潤的臉頰立刻舒緩下來；頓時清涼的孩子「哇！」的一聲，看起來好過癮呀！

回過頭來，我的母親正拿出保溫瓶，倒出一瓶蓋的溫開水，遞到我面前。「來，小口小口喝，不要牛飲！」她說。彷彿盛了一杯回甘的老人茶，我的眉頭立刻皺成一團。即便剛才在泳池的我是多麼浪裡白條、水中蛟龍，現在拿著保溫瓶蓋的我，就像是一隻破病雞。感覺每個人的眼光都在取笑我，怎麼樣也威風不起來。

「為什麼我不能喝冰的呢？」常常拿這個問題來煩媽媽，得到的答案卻永遠只有一個：「因為你會咳嗽。」

電視廣告不斷的放送：喝著冰茶，汗水都結冰了；喝了一口冰汽水，就像天空潑了一盆水在身上。好奇妙呀！究竟喝冰飲是什麼感覺？喝了真的會咳嗽嗎？我連作夢都會夢到喝了一口冰冰涼涼的汽水，醒來之後心中滿是罪惡感，卻又止不住的好奇。

忘不了的第一口冰

光是冰飲就如此嚴格限制，各位就不難理解，我的童年更是不可能有吃「剉冰」這回事的。終於等到有一天上了小學，在一個熾熱的中午放學時光，同學們聚集在柑仔店買「百吉棒棒冰」，開始人手一支的舔食。從來沒看過這好東西的我，口水咕嚕咕嚕的打轉；天啊，我好想、好想、好想咬它一口嘗嘗！

也許是我望眼欲穿的樣子嚇壞了同學，一位大方的同學將棒棒冰的「短頭」折下來給我，「吶，請你吃。」我張著大大的眼睛，伸出顫抖的手，接下他這份厚禮，一時之間不知道從何吃起，是用擠的？啃的？還是吸的呢？當那口冰在我齒縫碎裂，瞬間化開於舌尖的感覺，一股透心沁涼直攻腦門。原來……原來……這就是吃冰呀！

接續暢快而來的，是一陣急劇的咳嗽……嗯，才怪。吃完冰的我其實什麼症狀也沒有，媽媽渾然不知，她兒子今天已經破繭而出，完成冰品的初體驗。

咳或不咳？因人而異

過敏氣喘或有過敏性鼻炎的孩子，到底能不能喝冰飲呢？大部分的家長都會搖搖頭說「不可以」，這個觀念好像在華人的思維裡已經根深柢固。自從初體驗之後，我也漸漸違背母親的旨意，偷偷喝冰水、吃冰棒，有時吃完真的就大咳了起來，有時候卻一點事兒也沒有。

當醫學生之後，我上網查閱醫學文獻，發現喝冰水與氣喘發作的研究竟是屈指可數，而且好幾篇都是台灣學者的研究。其中一篇明確的發現，有一半的氣喘兒童喝了冰水之後，在一小時內會增加咳嗽的頻率，而沒有氣喘的小朋友，喝冰水則不會咳嗽。另一個研究則發現，運動後會氣喘的孩子，如果喝了冰水誘發氣喘發作，噴氣管擴張劑的效果會比較差一些。

至於過敏性鼻炎，則跟喝冰飲無關，所以單純過敏性鼻炎的孩子，是可以吃冰和喝冰水的！

過敏氣喘控制好就可以喝冰水

為什麼喝冰水、吃冰棒會引發咳嗽呢？可能是因為在氣管不穩定的氣喘兒童，冰水藉由自主神經的誘發，或是從食道嚥下時，直接接觸鄰近的氣管造成刺激，使氣管分泌痰液且收縮，然後，小朋友就開始咳嗽了。

所以我們可以這麼說：過敏氣喘的孩子如果喝冰水會咳嗽，表示他的氣管控制不好，狀況不佳，很容易會發作。反之，如果孩子喝冰水不會咳嗽，表示他沒有過敏氣喘，或代表他目前過敏氣喘控制得很好，完全沒有發炎的情況。

換句話說，孩子喝了冰水不會咳嗽，就可以繼續喝。但如果一喝就咳嗽，表示過敏氣管狀況不佳，要繼續聽媽媽的話多喝溫開水，並且配合醫師好好治療過敏氣喘。

09 咳嗽可以吃甜的嗎？

生長在台灣，你一定聽過「咳嗽不能吃甜食」這樣的說法。像我這種咳嗽達人，自然從小就與甜食絕緣，舉凡各式各樣的餅乾、糖果和巧克力，是「只容你手，不容我口」，想都別想。

還記得我學生時代，每當在家讀書讀累了，想吃點東西，冰箱打開什麼冰的飲料都沒，食物櫃裡則全是乾貨，完全沒有零食可嘗，只能自己削削蘋果，啃個芭樂充飢，你說世界上還有比這更健康的宵夜嗎？

但是有一點我倒是非常好奇。如果咳嗽不能吃甜食，那麼川貝枇杷膏、冰糖燉雪梨，幹麼做這麼甜呢？如果咳嗽不能吃甜食，那麼喉糖為什麼是甜的呢？而且小兒科醫師，每次處方咳嗽藥水時，幾乎都是甜的要命啊！這其中必然有什麼誤解吧。

蜂蜜與蔗糖可緩和咳嗽

曾經有一個蜂蜜幫助止咳的研究，認為睡前喝一杯蜂蜜水，可以減少夜間咳嗽的機率。在此研究中，蜂蜜水緩解咳嗽的表現，甚至比一些常用的感冒藥還要好，因此也被人戲稱是蜂蜜商有贊助。

另一項研究則是利用蔗糖水，減緩喉嚨的敏感度，進而降低病人的咳嗽次數。此份研究最有趣的部分，是這些蔗糖水甚至不需要真正被病人嚥下去，只是在口腔喉嚨潤一潤，就吐出來，也有止咳的效果。

為什麼這些甜味可以幫助減少咳嗽次數呢？目前還不是很清楚。有人認為糖可以穩定神經，讓喉嚨的刺激反射減少，就好像打嗝時吃點糖，可以停止橫隔膜抽搐，是類似的原理。這也不禁讓人懷疑，那些枇杷膏，或是我們診開立的咳嗽糖漿，究竟是蔗糖在止咳化痰，還是真的有其他的藥性作用呢？當然這些後續詳細的機轉，可能還有待更多的研究來證明之。

零食飲料中的化學物質才是凶手

千萬別誤會我的意思，在門診裡，我還是會建議家長不要給孩子吃甜食。原因是大部分台灣家長所認知的「甜食」，都是糖果餅乾飲料之類的零食，這些假的甜食都有添加人工色素或香料，絕對是引起過敏性咳嗽的元凶。我只是想強調，甜不甜並不是重點，化學物質才是咳嗽時該被禁止的食物。也可以解釋各種緩和咳嗽的藥水與偏方，幾乎都是帶一些甜味，雖不能治本，但治標舒緩一下氣管，是沒什麼問題的。

10 三種能改善過敏的維生素：D、C、A

跟各位介紹三種能改善或預防過敏的維生素，分別是維生素D、維生素C和維生素A。

維生素D的影響從懷孕開始

維生素D應該是這幾年最夯的維生素，它的抗發炎特性，可以減少許多慢性疾病的產生與症狀。近年來也發現各種過敏性疾病的發生，包括氣喘和異位性皮膚炎，都和維生素D有很大的關聯。

從懷孕開始，如果媽媽體內維生素D不足，就有可能會阻礙胎兒的肺部在子宮裡的發育，讓寶寶的肺活量在起跑點就輸人一截。不僅如此，這些維生素D

也是從胎兒時期開始，逐漸幫助調節寶寶的免疫系統，趨向成熟。

除了胎兒時期之外，出生後的嬰幼兒如果有足夠的維生素D，可以繼續提供呼吸道的保護，讓他在遭遇到感染時，能夠有足夠成熟的免疫細胞來對抗這些細菌病毒。舉例來說，之前曾經提過惡名昭彰的「呼吸道融合病毒」，在維生素D充足的孩子身上，造成的症狀與傷害就相對較輕微。因此很多專家都認為，孩子幼小的免疫軍隊面對這些病毒的反應能力，很可能是決定將來是否有過敏氣喘問題的關鍵。

知道了那麼多維生素D的好處，大家一定躍躍欲試，想從懷孕期就開始補充維生素膠囊，然後繼續讓小朋友也一起吃吧！奇怪的是，雖然懷孕時維生素D缺乏對胎兒不好，但是讓孕婦額外口服維生素D，卻無法預防孩子氣喘或過敏。或許口服維生素D的效果，與天然曬太陽生成的維生素D，對人體還是帶來不太一樣的效果？

由於食物中的維生素D並不是很多，大部分集中在魚、蛋、香菇，因此日曬成為我們最有效，也是最大量的維生素D來源。鼓勵懷孕的媽媽們，應該每天走出戶外，捲起袖管或褲管，好好曬他半小時的太陽。小朋友出生之後，也應該給予適當的陽光，最好每天都能在戶外跑跑跳跳，如果害怕曬傷，擦個防曬乳液就可以了。

維生素A／C可以減少氣喘症狀

曾經有專家在醫學期刊《胸腔》（*Thorax*），統合分析四十個有關維生素與氣喘的研究，得到幾個重要的結論：

1. 氣喘的病人比沒有氣喘的正常人，每天平均減少一百八十二微克（μg）維生素Ａ的攝取；而且嚴重氣喘的病人比輕微氣喘的人更少。

2. 每天攝取不足量的維生素Ｃ，會增加約一二％的機率得到氣喘病，氣喘病人血液中維生素Ｃ的濃度，也顯著的比沒有氣喘的人低。

3. 每天攝取不足量的維生素Ｃ，會增加氣喘病人喘鳴的機率。

綜上所述，對氣喘兒而言，攝取維生素Ａ與Ｃ，可以減少發作的頻率。維生素Ａ存在很多蔬菜中，像是菠菜、紅蘿蔔等等，至於維生素Ｃ不用多說，當然是水果裡的含量最高。所以在這裡鼓勵小朋友，要多吃無農藥的蔬菜水果，就能減少過敏氣喘發作喔！

⑪ 低劑量吸入型類固醇，會讓兒童長不高嗎？

兒童氣喘的照護除了環境改變，與飲食控制之外，適當的用藥也是重要的一環。而在所有藥物中，最有效且副作用最低的，就是低劑量吸入型類固醇。

吸入性藥物劑量極低，所以不會有一般對類固醇印象中的副作用，比如說水牛肩、月亮臉等等。但畢竟要長期使用，家長難免擔心孩子的身高會不會受到影響，這也是我常常在門診被諮詢的問題。

兩篇研究的結果稍微不同

二〇〇〇年的《新英格蘭醫學》（*The New England Journal of Medicine*）雜誌有一篇很有名的研究，觀察兩百多名氣喘兒童，追蹤了九年之後，發現兒童使用低劑量吸入型類固醇時，長高速度會稍微減緩，但隨著症狀改善停藥之後，身高又會補長回來，對最後成年人的身高是沒有影響的。

另一篇於二〇一三年的研究，同樣發表在《新英格蘭醫學》雜誌，這次人數更多，追蹤了一千多名氣喘兒童，他們連續使用吸入型類固醇四到六年後停藥，追蹤這些孩子到成年，結論是平均身高少了一．二公分。

「一．二公分？我的兒子可能從一八〇公分，變成一七八．八，這樣差粉多啊！」別急，家長先別驚慌，從這兩個研究中，其實有很多可以調整的部分。

別慌，減少藥物暴露量最重要

回顧過敏氣喘用藥的章節，我們可以知道「吸入型類固醇」本身，就已經分成許多不同的種類。這篇研究所使用的是相對較傳統的一種，叫做 Budesonide；Budesonide 在眾多的吸入型類固醇中，是比較「容易吸收到身體裡」的藥物。

大家要注意，吸入型類固醇的目的就是「不要被吸收，只在氣管上塗藥」，以減少副作用產生，所以 Budesonide 容易被吸收，不是什麼好事情。目前更新款的吸入型類固醇，全身吸收率都小於一%，相較於 Budesonide 的一一%，降低了十倍有餘。另外，如果搭配「吸藥輔助艙」使用，可以更有效減少藥物被吞到肚子裡，吸收率就更低，也就更不容易影響身高了。

另一個可以討論的主題是使用時間的長短。在第二項研究中的孩子，吸入型類固醇連續使用四到六年，從頭到尾不停藥，也不調整計量，是很落伍的做法，現在的用藥指引早已更新。一般我們在控制氣喘兒童的時候，會根據病情調整劑量，不穩定的時候劑量提高，穩定的時候降低，三個月內通常會停藥，再發作才重新使用。也就是說，在門診追蹤的孩子，幾乎是不可能如這篇文章所描述，連續使用四到六年還不調整劑量的。

因此只要好好遵從醫囑，做好環境與飲食控制，低劑量吸入型類固醇依然是最少副作用，最穩定的保養方式。若能搭配吸藥輔助艙，並隨症狀改善而調整藥量，應該不會導致那消失的一・二公分。

12 其實不是過敏1：談過敏性紫斑症

四歲的妹妹腳上突然冒出好幾個出血點，而且愈來愈多，愈來愈大。過了一天，連膝關節都腫起來了，痛到不能走路，而且還抱怨肚子痛。這是什麼病呢？

有經驗的醫師一眼就看出來了，這叫做過敏性紫斑症，英文病名是Henoch-Schönlein purpura，或叫做anaphylactoid purpura。我不喜歡中文的翻譯：過敏性紫斑症，因為這樣聽起來好像跟過敏性鼻炎，過敏性皮膚炎有關，事實上這是與一般過敏完全沒有關係的疾病。

過敏性紫斑症為什麼不是過敏呢？

當我們在感冒的時候，我們身體自然會產生

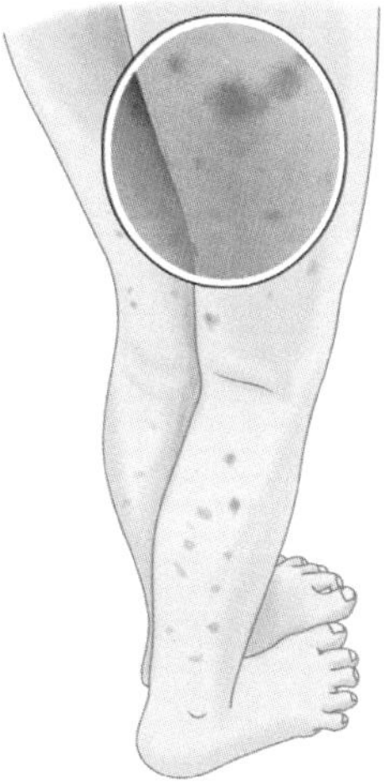

◀ 過敏性紫斑症

對抗病毒或細菌的抗體。其中有一種抗體叫做A抗體（IgA）。這種IgA對我們身體抵抗外侮當然是有很大的幫助，然而有時候在某些特別體質的孩子身上，這些IgA也是會造成傷害。

過敏性紫斑症九五%都是在十歲以下的小孩發生，其中以五歲為最高峰。這些孩子在感冒過後幾天，或在感冒的當中，腳上會開始出現紫斑（通常是跟地心引力有關，在下肢比較多），抱怨肚子痛，關節痛，還有些是睪丸痛等。這些疼痛與紫斑都是A抗體攻擊身上的血管，引發血管炎所造成的疼痛，紫斑則是微血管破裂的結果。當然這些症狀並非所有孩子都會表現：紫斑是百分之百的孩子都會有，關節腫痛大概七五%，腹痛約六二%（包括腸道出血，可輕可重）。

簡單的說，哪裡的血管被攻擊的厲害，哪裡就有症狀。要注意的是，這些症狀不見得同時出現，有時候關節痛會在六天後才出現，腹痛有時候會在兩個禮拜以後才出現，這些症狀都是身上的A抗體還在作怪所造成的結果。

檢驗六個月都沒血尿才可放心

然而過敏性紫斑症發作的孩子，我們最擔心的不是身上的血管炎，也不是腸道的血管炎，而是腎臟。約有五〇％的孩子得了過敏性紫斑症之後，會造成腎臟發炎，產生血尿，蛋白尿，甚至腎病症候群。

因此，不管是不是有眼睛可見的血尿，醫師一定會為孩子驗尿，看看有沒有紅血球或蛋白質在小便裡。如果孩子只是單純血尿或輕微蛋白尿，那麼將來腎臟受損的機會不到一％。

但如果有嚴重蛋白尿，進展到水腫、高血壓等狀況，那麼腎臟受損的機會就高達五〇％。因為腎臟的表現可能從發病一週到六週之間都會發生，所以這樣的病人我會驗尿到六個月都沒血尿，才可以放心。

很可惜的是，雖然我們都知道這些問題，過敏性紫斑症卻沒有一個很好的治療。類固醇是我們唯一的武器，然而根據文獻，打了類固醇之後，對於病情的進展，有人認為可以縮短病程，也有人認為沒有很大的幫助，目前仍然眾說紛紜。

但是有研究指出，類固醇還是對於保護腎臟有正面的效果，因此小心謹慎的使用類固醇，對過敏性紫斑症的孩子應該是利多於弊。做家長的不用擔心的是，如果沒有發生我上述嚴重的蛋白尿，不管用藥或不用藥，九九%的紫斑症孩子最終都會痊癒，沒有任何的後遺症，並且安然的長大。

所有症狀大多在四週內會痊癒。紫斑會由紅變紫，由紫變鐵鏽色，最後消失。腹痛除了小心血便之外，也都會漸漸痊癒。唯有腎臟是要長期追蹤至半年。

復發了？交給醫師來判斷

這些孩子復發紫斑症的機率很高，約五〇%，大部分都是在半年內復發，平均復發一．八次，復發的紫斑症通常沒有第一次嚴重。如果是女孩子得了這個病，將來她懷孕的時候比較會發生蛋白尿與高血壓的子癲前症。

有一些家長很認真的上網查與紫斑相關的資料，常常與其他疾病混淆，自己嚇自己。**首先混淆的是腦膜炎球菌的敗血症**：這種病人會在腳上產生紫斑，也可能會肚子痛，但重要的是這樣的病童會發高燒、精神很差、頭痛，甚至休克，這些症狀都是在急性期就會出現的，診斷必須第一時間就要做出，不然會有生命的危險。

第二個可能會搞混的是血小板低下症：這種病人的紫斑是散布在全身的，不像過敏性紫斑症是在下肢為主，它也不會有其他腹痛等等症狀，並且驗血可以驗出血小板不足。其他還有家暴、藥物疹、心內膜炎、紅斑性狼瘡、幼兒型風溼關節炎等。一般家長不用傷透腦筋自己診斷，只要與醫生討論，這些病症應該都在醫師的腦袋裡排除了。

簡單的介紹了這個令家長摸不著頭緒，又很難解釋清楚的疾病。總而言之，放心的將這個病交給醫師處理，九九％的孩子都會自然好起來。

13 其實不是過敏2：談麩質不耐症

有一位小男孩因為口瘡潰瘍，外加舌頭發炎，反覆一個多月，幾乎沒有完全癒合過。家長讀過我之前網路上寫的文章〈嘴痛長口瘡怎麼辦？〉，已經努力執行不吃油炸食物與零食，睡眠時間也做了調整，口瘡卻仍然一直復發。

看診追蹤兩、三次之後，孩子症狀依舊，我開始覺得案情並不單純，於是上網搜尋，看看反覆口瘡有沒有什麼隱藏的病因是我不知道的。東看看、西找找，發現國外有許多文獻討論反覆口瘡，有可能背後的病因是「麩質不耐症」（celiac disease）。這診斷在台灣並不多見，也有人稱為麩質過敏症，或者更嚴重者稱「乳糜瀉」。

麩質是一種特殊的蛋白質，普遍存在於小麥、大麥、黑麥等穀物中，也就是平常吃的麵團、麵條，它們之所以咬起來QQ黏黏的，就是因為有麩質在麥製品中，扮演彈性與黏著劑的角色。

症狀複雜，難以馬上判斷出來

大部分人類的腸胃道，都能輕鬆的消化麩質這種蛋白質，然而這世界上有少數人因為帶有某種特殊基因，身體的免疫系統會逐漸開始討厭麩質，進而產生排斥，這就是所謂的麩質不耐症。產生麩質不耐症的年齡從兒童到成人皆有可能，而最最嚴重的症狀，就是兒童反覆的腹痛、腹瀉、瘦小、生長遲緩等等，這就是為什麼過去的中文翻譯，把這種疾病稱之為「乳糜瀉」的緣故。

「麩質過敏症」這種說法容易造成家長的誤解，認為好像抽血驗個過敏原，就可以得到麩質過敏的診斷，其實不然。一般我們所俗稱的過敏，是一種 IgE 所誘發的免疫反應，然而身體對於麩質的排斥反應，卻大多是 IgA 所引起的，兩者是完全不同的疾病。因此我比較傾向稱 celiac disease 為「麩質不耐症」，以免造成大家的誤會。

最近這幾年來，有許多臨床研究發現，其實兒童一些莫名其妙的症狀，竟然也都跟麩質不耐症有關，而其中之一，就是反覆的長口瘡與舌頭發炎！麩質不耐症的其他怪異症狀包括全身疱疹樣皮炎、琺瑯質形成不全、缺鐵性貧血，還有更少見的性晚熟、慢性肝炎、幼年型風溼性關節炎、骨質疏鬆、情緒障礙等。另外，此疾病在第一型糖尿病患者以及唐氏症患者，好發率也特別高。

這些症狀似乎彼此風馬牛不相及，而且並非每一項都會發生，讓診斷變得更困難。曾經有文獻建議，當醫生在治療上述疾病遇上瓶頸，病人症狀始終無法緩解時，或許可以多想一些，可能是麵食麩質惹的禍！

解決的辦法，就是不吃任何麵食，包括麵包、蛋糕、麵條、包子饅頭等，禁絕六週的時間，如果症狀果然改善，賓果！那就是了。

飲食改變，麩質不耐症逐漸被誘發

在過去，台灣醫生都認為麩質不耐症是外國人的疾病，台灣人應該不會得，這個說法來自兩個理由：基因的差異，與飲食習慣的不同。歐洲人的麩質不耐症基因比例，遠遠高出中國南方的漢人將近五倍之多，所以我們不容易得到麩質不耐症，似乎是頗有道理。為什麼引用中國南方漢人的數據，而非台灣人的數據呢？因為目前還找不到台灣本土有關麩質過敏的基因調查報告。

雖然機率低於白人，但麩質不耐的基因，肯定還是存在於台灣族群的。再加上飲食習慣西化，現在年輕一代的台灣家庭，麵食的比例已經超過米食，尤其是早餐，麵包已經取代稀飯成為主流。在這麼大量的麩質暴露之下，那些少數帶有麩質不耐症基因的孩子，是很有可能慢慢被誘發出一些非典型的症狀，只是或許不至於到乳糜瀉這麼嚴重而已。

麩質不耐症有兩項更準確的血液檢測，台灣僅有少數檢驗單位有此試劑，屬於自費檢查的項目。雖不見得能抽血確定診斷，但若嚴格執行無麩質飲食後，症狀就大幅改善，不需要抽血就能得到解答。台灣麩質不耐症的孩子，可能沒有想像中那麼罕見，值得大家多一點關注與提醒。

家庭與生活 075

從現在開始，帶孩子遠離過敏

暢銷 全新改版

異位性皮膚炎、過敏氣喘與過敏鼻炎，

從預防、控制到治療，給父母的安心提案

作者｜黃瑽寧
責任編輯｜陳瑩慈
校對｜魏秋綢、王雅薇、游筱玲
封面設計｜Ancy Pi
封面攝影｜黃建賓
封面繪者｜薛慧瑩
版型設計｜賴姵伶
內頁排版｜賴姵伶
內頁插畫｜王佩娟、施雲心
行銷企劃｜蔡晨欣

天下雜誌群創辦人｜殷允芃
董事長兼執行長｜何琦瑜
媒體暨產品事業群
總 經 理｜游玉雪
副總經理｜林彥傑
總　　監｜李佩芬
行銷總監｜林育菁
版權主任｜何晨瑋、黃微眞

出版者｜親子天下股份有限公司
地址｜台北市 104 建國北路一段 96 號 4 樓
電話｜(02)2509-2800　傳眞｜(02)2509-2462
網址｜www.parenting.com.tw
讀者服務專線｜(02)2662-0332　週一～週五 09:00~17:30
讀者服務傳眞｜(02)2662-6048
客服信箱｜parenting@cw.com.tw
法律顧問｜台英國際商務法律事務所 · 羅明通律師
製版印刷｜中原造像股份有限公司
總經銷｜大和圖書有限公司　電話｜(02)8990-2588

出版日期｜2022 年 3 月第二版第一刷
2024 年 5 月第二版第四刷
定價｜480 元
書號｜BKEEF075P
ISBN｜978-626-305-183-6（平裝）

訂購服務
親子天下 Shopping｜shopping.parenting.com.tw
海外 · 大量訂購｜parenting@cw.com.tw
書香花園｜台北市建國北路二段 6 巷 11 號　電話｜(02)2506-1635
劃撥帳號｜50331356 親子天下股份有限公司

國家圖書館出版品預行編目 (CIP) 資料
從現在開始，帶孩子遠離過敏：異位性皮膚炎、過敏氣喘與過敏鼻炎，從預防、控制到治療，給父母的安心提案 / 黃瑽寧著 . -- 第二版 . -- 臺北市：親子天下股份有限公司, 2022.03
336 面；14.8×21 公分 . --（家庭與生活；75）
ISBN 978-626-305-183-6（平裝）
1.CST: 小兒科 2.CST: 過敏性疾病
417.57　　111001884

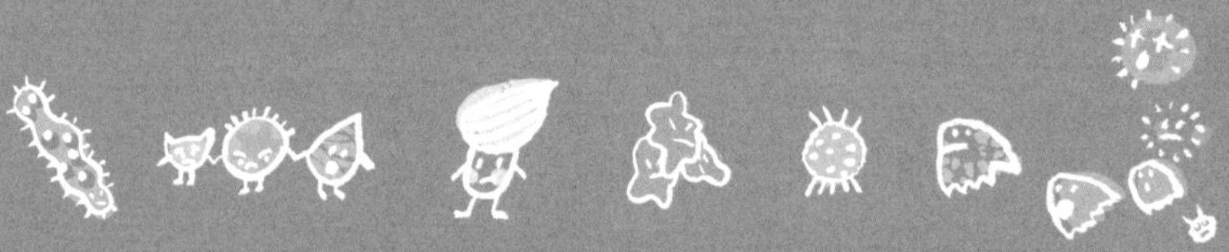